The Horsie Steen

Minnie

ISBN 1 899920 03 X

Published bi

Scots LANGUAGE RESOURCE CENTRE
A.K. Bell Library, Perth

wi the assistance o

THE SCOTTISH ARTS COUNCIL

A CIP catalogue record for this beuk can be haen frae the British Leibrar.

Minnie

Sheena Blackhall

The author acknowledges the assistance o the Scottish Arts Council an Aiberdeen University, in fundin the post o Creative Writer in Scots, thereby providin the time an siller necessar tae tak on this project. Three o the chapters in this novella cam first equal in the Scots Language Society's annual competition (2001) winnin the Robert McLellan Scotsoun tassie for best short story in the national competition.

Ony resemblance tae fowk leevin or deid in this buik is pure chaunce, likewise the clachans screived o in this story. Minnie is dedicatit tae ma mither, Winnie Booth, fa first pit a buik in ma haun an keepit it there, an tae her maternal forbears, Johan Crab, Flemish pirate an military engineer (bocht lans in Cromar circa 1320) an Juan Phillipe, lane survivin crewman frae the Spanish galleon the Santa Catarina, wrecked aff Collieston (1590) ferryin cannon frae Spain tae the Earl o Errol.

Sheena Blackhall

Minnie

Contents

A set o CDs tae gae alang wi this beuk, o aa the stories intil't read bi the author, is available frae the Scots Language Resource Centre, A.K. Bell Library, 2-8 York Place, Perth PH2 8EP. Mair details can be fund on the SLRC wabsteid at www.scotsyett.com

the author at Tomnaverie, 2003

The Clyack Shaif

Gin young September's caul an weet
Ye'll shear yer corn mang snaa an sleet

It wis the stert o September, a sunsheeny day, the tail eyn o an early hairst on the ferm o Steenhillock. The hett sun beat doon on the heather on the Hill o Leddrach, crummlin the peat tae stoor an the blaeberries tae a sappy sweetness. Atap a heathery knowe, Minnie Bruce, the youngest hairster, sat ettin her dennertime piece. She wis a fernietickelt, weel-made quine, eleeven year auld, wi thick blaik hair poued back in a wechty pleat near as thick as a shelt's tail, sae lang that she cud sit on't. Her een war blaik an sherp, takkin aathing in, an her skin wis brunt sae broon wi the strang sun she cud hae passed as a Spanish grandee's dother, insteid o a fairmer's lassie. She wis hett an swyty an trauchelt, an gled o the rest.

On the scraun fur pollen frae the purple ling, a puggelt bumbee zigzagged roon the quine's hudderie heid, an nae twa yairds frae her taes, a lane grey bawd teetit roon at her frae the neuk o a whin buss, dichtin his muckle lugs wi baith his forepaas. As she sat in the birsslin heat, the hale o the pairish o Steenhillock raxxed oot aneth her like a chessboord. On yon boord, the kirk wis king, risin up frae its bourach o heidsteens wi its wee stinch steeple like a finger, pyntin tae Heiven. Maist o the heidsteens in its kirkyaird war ordnar eneuch, aa bar een, an yon wis a muckle green steen wi three wirds on't, 'Sgian o Sgian', that merkit the lair o a warlock, lyin skelp in the mids o the douce, quate fowk in the kirkyaird. Minnie Bruce passed by the warlock ilkie Sabbath, neeborly-like, fur her faither Matthew wis precentor at the wee United Free kirk, as weel as the fermer o Steenhillock, an gey far ben wi the meenister, Maister John Geddes.

The kirk lay tae the sooth o the Hill o Leddrach, ower the main road that tuik ye intae the toon some echt mile aff in the wast. Minnie's granfaither, Auld Mattha Bruce, bedd yonner. Frae his dairy, Auld Mattha coonted the milk cans that his fermin sons at Darraknowe an Mathrick fullt frae their growin herds o kye, an sellt it aa roon the wynds an lanes an streets o the stoory toon. The auld man's empire o milk served the fowk in tenements fa lived like battery hens, an the toffs an nibbery in their fine granite hooses. Frae his fleet o cairts, toonsfowk micht buy gweed kintra cream tae poor abune their parritch, an fite-faced vratches tcyauvin in factories or offices micht cweel their tarry tay in their chippit mugs or flooery cheena cups.

If the kirk wis king o the chessboord, the ferm o Steenhillock wis queen, the biggest ferm in the pairish, spreidin oot her braa skirts frae the braes at the fit o the Hill o Leddrach. Munchin her wye throwe her piece o breid an jam, Minnie's een traivelled ower her faither's parks tae a cottar hoose at the roadside far the neep-park cottars bedd. Like aa fermers, her faither niver bothered tae gie the cottar fowk their richt names, fur they fyles cheenged sae aften it wis aa a body cud dee tae keep tee wi them. Fitiver faimly happened tae lan bi the roadside hoose, they war kent as 'the neep-park cottars', fur neeps grew weel in yon neuk, better nor hey nor corn. Faith, even the cottars thrived better there, fur weel ooto sicht o the ferm toon they micht rype the wids o berries an game an lift as muckle neeps as they likit, wi naebody tae clype or see.

The cottars that bedd there eenoo war the McPhails, fa hid driftit North tae the pairish o Leddrach frae Angus. The heid o the hoose wis caad Tarry because he wis brunt blaik wi bein ootside in aa weathers, like a tarred road. The halflin, Iain, wis a glekit vratch, bit hermless, wi his heid aye cockit tae ae side, an wi slivvers that hung frae the side o his mou till his mither thocht tae dicht them. The McPhails hid bin forkin shaves aa foreneen inno the fairm cairts, an war dowpit doon quate-like, Tarry the heid o the hoose wi a cutty pipe in his mou, the rikk risin up frae't grey as a goat's beard. Sae heich on the hill, Minnie cudna makk oot fit Tarry wis sayin, like as no it wis naething o note, mebbe some Leddrach sclaik he'd heard at the kirk on Sunday.

In the lee o a stook aside the McPhails, the Troot Wallie cottars war swattin the fleas frae their lugs aneth the cweelin bough o an aik, raxxin ower the dyke in Kilrogie wids. Frae the tap o the fermtoon brae, Steenhillock's track ran north doon a ruttit roadie twa mile tae the Leddrach dam, an atween the dam an the ferm wis the Rodden Hoosie, far the Troot Wallie cottars bedd. Dod Mathieson an his wife Madge war cottared there eenoo. He wis baillie tae Steenhillock. His twa loons Alec an Ned, war dairymen in the toon, deliverin milk fur the Bruces, comin hame on Sundays tae get their sarks washed an cleaned bi their mither, whyles tae gyang tae the kirk, fur they liked tae haud in wi Mat-thew Bruce, the fermer. Dod Mathieson kent that his maister preferred himsel tae the grieve, Jock Dow, fa bothied aleen in the chaumer an got roarin fu maist Setterdays. Dod Mathieson hid bin een o the first men ontae the hairst park a whylie back, een o the scythemen cuttin roadies tae makk room fur the binder tae dee its wark, or tae cut doon swatches o corn battered doon tae the grun bi the rain that the binder cudna haunle fur aa its mechanical clivverness. Shaves cut doon bi the scythemen, slashed inno a swathe war bun bi haun, stookit clear o the staunin crap, a sair trauchle oor efter oor, back brakkin darg wi the thrissle prods stoonin in yer hauns an the swyte garrin yer sark stick tae yer shooderbeens. The day, tho, Dod hid his wife tae help him lift the shaves frae the grun, an load them inno the cairts tae takk tae the barn.

The Rodden Hoosie wis the auldest cottar hoose on the ferm. Its kailyaird hid twa gean trees in the neuk o it, an the bonniest rodden tree in the district at the fit o its washin green. In the park hard tee til the dyke at the back o the hoose, wis the Troot Wallie, far ivery cottar that iver cam tae bide in the Rodden Hoosie keepit a trootie sae the watter wad bide clean, three steps doon in the hole in the park far the spring jibbelt up frae the derk foon o the yird, sweet an clear an bonnie. The Mathiesons hid a quine, Jessie, fa'd drooned hersel in the Leddrach dam a five year back, fished oot like an auld buit wi the fool bree sprewin ooto her mou efter hauf the pairish hid caad fur her fur a wikk. Dr Henderson hid examined the body, an said there wis nae sign o onything amiss, tho thon cud hae bin a lee fur the Mathieson's sake, kennin foo little the Bruces thocht o skiffies and kitchie-deems fa fell wi a bairn. Faith, they'd sack them as quick as luik at them, raither than hae them a 'burden upon the pairish'. Matthew Bruce sat on the pairish boord. It wis ill tae squar the buiks if fowk wad lowse their spayver far they shouldna, an leave the pairish tae pye fur the spunk scaled ooto wedlock. This hairst, anely Dod an his wife war doon on the park, fur the loons war awa in the toon deliverin milk at back doors, shops an closes.

The heat at the heid o the knowe gart Minnie lowse the buttons on her blouse, the fite cotton stukken wi swyte tae her thin flat chest. A single treelip o swyte trickelt ower her neb, an she dichtit it aff wi her haun, a crummle o heather flakin aff an reestin in the curve o her snoot, garrin her sneeze. There wis meevement doon in the hairstpark. Gaun back an fore ower the stibble humphin a basket stappit wi sandwiches an fancies, wis Meg Ramsay, Steenhillock's kitchie deem, an her mither Janet, like twa pots frae the same kiln, jist een wis mair crackit than tither. Meg sleepit up in the nerra attic room at Steenhillock, near crackin her heid on the rafters ilkie time she beddit, bit her mither Janet wis fee'd as hoosekeeper tae Dr Henderson, in a hoose bi a wee dirt track atween the Fir widdie an the Leddrach burn. Man, bit it wis a bonnie wee burn far ye micht catch a troot gin ye war gleg eneuch, if the kye hidna kirned up the watter, nosin doon frae the park fur a drink an plyterin in the dubs wi their muckle hairy feet. The doctor wisna a gweed advert fur his trade, as thin as the links o the crook an a permanent dreep at the pynt o his snoot, bit he hid a takkin wye wi him wi littlins, an sae wis weel likit bi cottars an fermers baith. He hid bin byordnar kind tae the Troot Wallie cottars fin their quine Jessie drooned hersel; nae a wird o the bairn she wis cairryin gaed doon on the daith certificate, tho aabody kent, onywye, fur fit ither thing wad cause a fit young lassie tae dae awa wi hersel? Eenoo, his hoosekeeper Janet hid devauled a meenit at the tackety buits o Jock Dow, fa wis raxin inno the basket o pieces wi a haun like a ham shank.

Fur days noo, Jock Dow the grieve hid yokit three shelts tae the drag pole an led them inno the park wi a wheep at his elbuck an a fag rikkin frae the crook o his mou. Syne intae the lang rigs o corn the binder breenged, spewin oot cuttit shaives at its dowp. As lang as the weather held the hairsters war oot in the park till midnicht wirkin bi the licht o the great hairst meen, men, weemin an bairns. Aa hauns war needit tae stook the shaves, settin them up on eyn, stibble tae stibble, echt shaves tae a stook, set north tae sooth tae catch the dryin wins. The day, tho, Jock Dow hid led the horse back tae the stable fur a feed o hey an watter at eleeven o clock, seen efter Minnie's mither Sally an the kitchie deem Meg Ramsay cried aa the big fowk intae the ferm kitchie fur a plate o yaval broth. Seein's the kitchie wis nippit fur space an the day wis fine, the hairsters hid taen their denner oot in the park, or hauf up the hill like Minnie, tae catch the sun.

Jist alang frae Jock Dow, Matthew Bruce, Minnie's da, wis clartin grease on the binder, fool orra brute o a thing that it wis, fur naebody kent foo it wirkit bit him, fa'd bin schuled at Strathbogie College, the same Strathbogie College that Minnie's brither Matty attendit ilkie day, unless it wis hairst, like noo. The binder wheeched the legs frae the corn afore it, an spewed bun shaves oot ahin. Bawds an hairst mice ran wud-feart afore the muckle hairy feet o the horse an the sooch an click o the binder. Noo, tho, the binder wis quate, its wark feenished this whyle, its maister ficherin wi't, sortin the tichtness o the binder towe, fur he'd promised a shottie o't tae Tullynorth... The corn wis dry an licht; the binder twine wad need tae be adjusted tae suit. Minnie's faither stude like a brig on the park aneth, wi a fit in twa warlds, the auld an the new, the warld o the horse on ae side, the warld o the machine on tither, a serious, tall man, staunin apairt frae the claik o the wirkers he fee'd an fired.

The horse that hauled the cairts wad rest in the cweel o the stable fur anither oor yet, Tibby an Prince an Fauldie. Their stable-fiers, Jimmy an Nancy, war deliverin milk in the toon. Fauldie wis Minnie's favourite. Eenoo he wad be whinneyin fur his meat. Seen, Jock wad feenish his piece, an gyang back tae the stable tae lead him oot tae the watter troch in the yaird, forkin hey inno his manger, an wyin oot his corn ration fur efters, like puddin efter broth. The horse micht rest fur three oors at dennertime, the fowk cudna. Hens an dyeuks still hid tae be fed, hoosewark dane, fires mendit, an the byre made ready fur the evenin's milkin, a kirn o jobs like threidin a strae raip, ilkie een dovetailin inno the ither, till whyles Matthew Bruce hardly sleepit in his bed ava, sae faiver said a fairmer's life wis easy wis a damnt leear fa niver cam within a sniff o gweed honest sharn. The darg wis hard, the oors war lang, bit at least the fairmhoose wis warm, hett, clean, an weel-plenished. Nane o the Bruces iver stood at the back o a dyke an grat cause they didna ken far their neist bawbee wis comin frae.

Aa the lans o Leddrach Minnie cud see frae the tap o the heathery knowe, as far as the cauld ice prods o Ben Nagarr weirin its hanky o snaa in its bosie that niver meltit ava, like an ice laird's hairt. East lay the knowe o Corrlichie, far a Gordon laird as fat as a puddock fell aff his shelt an dee'd at the heid o a battle, afore he cud even draa sword, an the wee broon burn o Corrlichie ran reid fur three days an mair, sae gluttit it wis wi deid an deein Gordons. Fit the fecht wis aboot Minnie cudna richt myne, fur the Gordons war aye fechtin somebody, bit Mary Queen o Scots micht hae bin at the back o't like Helen o Troy, an some fowk said she watched the fecht frae the tap o the knowe, jist like Minnie wis watchin noo, dowpit doon on the hill, owerluikin the hairst park aneth.

She sat, still an serious, an eleven year auld gaun on fur echty, like a wee clay dallie, mouldit, fired an cweeled bi the cheengin sizzens, as muckle a pairt o the scenery as the kittlin groomin its cleuks at the barn door, or the rodden tree showdin saftly at the neuk o the Neep Park Cottars' hoosie, wyed doon wi a line o washin. Hoosaeiver a shout frae the park aneth seen gart her steer, fur Isie

Menzies wis climmin up the knowe tae jyne her. Tho Minnie's faither niver cam richt oot an said it, it wis unnerstood that she didna makk friens wi the cottar bairns: shiftless, thriftless, puckles o Steenhillock cottars hid been. Nae the bairns' wyte, mebbe nae their fowk's neither, fur they cud be turned awa frae the place withoot ony redress, if they misfittit Steenhillock himsel in the smaaest wye. An the Bruce's hid a fair notion o themsels, ay, wi the dairyin thrivin there in the toon, and Auld Mattha dowped on the boord o directors o the Northern Mart.

Whyles, cottars stole neeps an firewid, an her da turned a blin ee tae thon, fur they aa did it. Bit he didna like it, nae ava. Isie, tho, wisna a cottar bairn, her buits war gweed stoot leather, made bi the soutar o Leddrach. Her faither Chae, an her mither Lotty, fermed Tullynorth, an they had sent men tae help Steenhillock wi his hairst. Isie wis ages wi Minnie Bruce, a full cousin on her faither's side, throwe his mither's fowk, the Menzies o Claggordie. The Menzies war clartit wi siller, aabody kent that. Their faither hid dibbelt in stocks an shares, an ained third shares o the Dach distillery, sae it maittered little tae them if the hairst wis gweed or coorse, fur their breid wis buttered on baith sides. Neist year, fin Isie turned 13, she wad gyang tae a fee-pyin schule in the toon, awa frae the soss o Kilrogie. The Menzies wad be roupin oot efter the hairst. They hid bocht a wee hotel in the toon, awa frae the tyranny o the byre. The cottars micht shift fur thirsels, syne. Some ither chiel an his wife wad hae the trauchle o keepin ferm accoonts an buyin an sellin stock an gear at the marts an roups roon Leddrach.

Isie's hame lay ower Steenhillock's parks tae the east. The Bruces ained a peat cut ower at the Moss o Leddrach, atween Kilrogie school an Tullynorth, an there they cut an stackit, dried an hurled hame fifty loads an mair, tae see them throwe the winter, tho Minnie's da cut less an less each year. Chaip fuel wisna chaip fin it tuik sae lang tae gaither, fin aa ye needit wis a scrat o the pen on an invoice, an blaik bags o shelbottle an dross, delivered tae yer door. Peat wis a fine, sweet, crummly heat on a winter's nicht, bit it brunt awa tae stoor. Coal that wis bankit up wi a shovelfu o dross tae keep it gaun, wis aye there smuchterin awa in the mornin, a sma job tae raik up the cinners an bigg the lowe again. Minnie, tho, likit fine tae cut peats ower at Tully's, fur Isie wis aye fu o tricks, ye niver weariet lang in her company. The cottar bairns keepit a bittie o distance atween themsels an Minnie an Isie baith, faith ye cudna be easy wi a quine fa's faither cud takk the meat frae yer plate as quick as luik at ye.

Seein her cousin warsslin up the Hill, she shook the crummles frae her piece ower the heather, and ran doon the brae tae meet her. Seen, Isie scrammelt up, catchin tee wi Minnie an ran on afore her diggin the taes o her button-buits inno the heather, climmin farrer roon the Hill o Leddrach, cryin on the slow-coach tae follae her. 'Race ye roon tae the Earth Hoosie!' she cried. An Minnie follaed, pechin, fur the brae wis steep an the heather lang an wiry.

On the wye tae the Earth Hoosie, the twa cousins devauled a meenit, at the sicht o a bourach o sma fite beens wi raggedy cloots o oo hingin atween them.

'Een o the spring lammies,' Isie telt Minnie, fa hid nae dealins wi yowes ava, fur the Bruces war dairy fairmers, nae mutton fowk.

'Fit killt it?' speired Minnie.

'Its mither didna ain it,' Isie telt her. 'It happens wi yowes, aften wi twins. The mither takks tae een, bit nae the tither, an jist wakks aff an leaves it.'

'Tae dee?' speired Minnie.

'Tae fen fur itsel,' replied Isie. 'Gin anither yowe's tint a lammie, faither skins the deid lammie and ties its fleece roon the ootlin. Yowes arena very bricht, ye see. The yowe fa's tint her bairn smells the kent yoam o the deid littlin, and whyles she'll lat the littlin sook at her, an bring it up as her ain.'

'Yon's coorse,' quo Minnie.

'Nae bit,' Isie telt her. 'It's natur. Natur isna aye as nicey-nice as they like ye tae think in the kirk. If Natur wis cut an dried like the shaves doon there, nae yowe wid turn awa frae a lammie it drappit. Bit Natur's nae cut an dried. It's quanter, like the bits o the cornpark flattened doon bi rain. Mebbe mitherin's like yon. Some hae mair nor ithers.'

Minnie turned yon ower in her harns like a slaw furra cowpin ower frae a ploocut. Wi her brither Matty, her mither wis kindness hersel, the cauld win cudna blaa on him. Wi Minnie, she gaed throwe the motions. The quine wis weel-groomed, hoosed, clean an fed. Sae war the horse in the stable. Fin Tarry McPhail wirked the horse, he gaed throwe the motions as weel. He wis a dairyman, nae a horseman. Horse war ae mair job tae tick aff amang a heeze o ithers. A tyauve, a scunner, a trauchle. Fin Jock Dow wirked the horse, tho, ye kent the odds richt aff, fur syne Fauldie an Tibby an Prince strode oot wi virr in their muckle ashets o feet, fur they kent he likit them, bi touch, bi spikk, an mebbe even bi smell, if fit Isie said wis true. Like a flooer that opens up fin the sun shines doon on't, mitherin, then, wis a fey thing, a quanter thing. Steenhillock wis mair a mither tae his dother than iver his wife Sally wis, fur he lued her as weel if nae better than the wirds in the Haly Buik that he wis sae fond o spikkin. Yet Sally Bruce wisna coorse in the vicious sense o the wird, fur she niver liftit her haun tae her hauf-grown quine, faith she niver touched her ava, if she cud help it. An luv, Minnie kent, wis like the great blue sea o a sky that the hairsters prayed wad bide clear. Ye cudna girn if it derkened, ye jist got stuck in an made the best o things fitiver.

Isie reached the Earth Hoosie first, wi Minnie close ahin. They creepit in backwyse inno the low mou o it, nae muckle bigger nor the mou o a tod's den, a lang human burra that grew braider an heicher as ye neared the eyn o't, sae heich ye cud staun up in the pitmirk cweel, like a brock or a rubbit or a futterat. Whyles, the twa made a den o the auld Earth Hoosie, an stumps o caunle lay fizzled oot on the yirdy fleer. It wis dry, an secret, cuttit twal fit inno the hill. The cottar bairns niver kent o the Earth Hoosie, they biggit their hoosies an dens frae fir branches inno the Fir Widdie, or auld beech boughs in Kilrogie Wids. Cottarfowk cheenged near as aften's ye cheenged yer sark. They lowpit like flechs, they cudna bide at peace naewye. Bit fermers bedd an reeted, fur mebbe a twa, three generations, nae a day an a denner... an fermers' bairns kent ilkie stick an steen o their faithers' grun, an aa its secret placies. Isie said Fermin an Natur baith hid their nesty sides. Ye micht pett an bosie a new-born calfie, bit fin yon calfie turned till an auld eel coo, doon the road she gaed tae the knackers withoot a meenit's thocht.

Whyles, the cousins played in the foun o the Earth Hoosie, pretendin it wis a kitchie an clappin berries an steens on tap o docken leaves makkin on they war mince an tatties. The day, tho, they lay hauf in, hauf oot o the mou o't, lyin on their wames on the grun, luikin doon ower the hairst park. It wis sae hett that Isie lowsed the tap three buttons on her blouse, openin the boddom o her lang, fair neck tae the hairst sun. She hid bricht, reid hair, did Isie, ruggit back in a smeeth-caimed pleat, hair the colour o roosty iron, green cat's een an a hairt-shaped face wi a button snoot an lugs as deinty an sma as a hairst moose. Minnie luikit naething like her. She favoured her mither's side, the Rosses o Migvree, nae the Bruces. Queer that, tae luik sae like her mither, an be sae little thocht o bi her. Minnie's hair wis as thick an roch as Tibby's tail. Her jaw wis squar an her shanks war lang an sturdy. Isie, tho, wis like a waucht o thrissledoon, fariver she gaed, she shone, sma-boukit an licht's a fireflaucht.

Fin Isie lowsed her buttons, Minnie noticed three roon purple merks at the tap o her cousin's breist been, bruises that luikit like thoomb preints the colour o brummil-bree.

'Fa's hurtit ye Isie?' she speired, fur yon cudna be caused bi a faa.

Isie leuch. 'It wisna sair. He wisna hurtin. He wis sookin.'

'Sookin?' quo Minnie, bumbazed.

Isie rolled ower onno her back, her green een luikin up at the clouds scuddin alang the lift on their wye tae Ben Nagarr. 'Fa's strongest, Minnie. Loons or quines?'

'Thon's easy!' her cousin replied. 'Loons, o coorse.'

'No they're nae,' fuspered Isie. 'No they're nae. I can makk them weak as kittlins. I can makk them prigg.'

'Fit div ye makk them prigg fur?' speired Minnie.

'Niver ye heed! Ye'll ken some day. Jock's back on the binder again, there's twa rigs left tae cut an the stookin's dane. Race ye back doon the hill an ower the dyke!'

Isie wis first ower the dyke, pechin, her reid pleat stottin aff her back, bit it wis Minnie that aabody wis wytin fur. Ae bourachie o aits stude shimmerin in the strang efterneen sun, up at the far neuk aside the Gweedman's Craft. The Gweedman's Craft wis the name the fermfowk gied tae the gusset o grun atween twa dykes left ower tae the wud beasts o the pairish, their ain wee airt nae touched bi scythe or plooshare, a roch rickle o nettles, steens, briers an butterflees. The auld fowk o the Leddrach said that if the beasts hid their ain bit grun, they wadna covet the grun ained bi their neebors the fermers. An the sweetest brummils grew in yon divits o wyvin girse an wannerin willie, an the bonniest butterflees bedd there, an the verra steens o the dyke war spirkit wi reid in their sizzen wi the wings o leddylanners.

Here stude the hinmaist bourach o corn, the clyack shaif, wytin tae be sheared, trimmlin in the licht September win. Meg Ramsay hid telt Minnie that fin the hairst wis early, the Leddrach fowk caad the shaif 'The Maiden'. Gin it hid bin late, twad hae bin 'The Auld Wife'. An Meg said, mair, that anely a clean quine cud bind it, a young quine nae man bodie'd haunelt. An Tarry McPhail hid taen his pipe ooto his mou an dichtit his baccy-broon fuskers, an said that doon aroon Angus fin he'd bin cottared there, the fermfowk caad it 'The Bawd', fur they thocht that the speerit o the hairst creepit in o't, a great grey ghaist o a bawd, like the lang-shankit lang-luggit craiturs that flew throwe the corn like the win fin the binder wis wirkin.

'Dowp doon, Minnie,' her faither cried, brakkin inno her dwaum. 'Yer brither Matty's the youngest loon in the back park, sae he his the cuttin o't. Bit ye're the youngest quine, an ye hae the bindin o't.'

Wisn't it jist like her da tae swick? Isie her cousin wis a month younger than Minnie... bit it wisna *her* faither's hairst, it wis Steenhillock's, that wad be the wye they'd pickit her afore Isie. Isie wis fully as clean as Minnie, her peenie wis aye like the driven snaa an her sheen shone like sharn on a weet lea rig. Sae Minnie lowpit the dyke, an ran tae the back park far the last o her faither's aits war cuttit, an dowpit doon in the roch jobby stibble o the sheared park, a young, clean quinie, an spreid oot her cotton peenie, an wytit while Matty her brither, aulder nor her bi twa year, spat on his haun, an swung the shaft o the scythe back an roon an brocht the gweed corn doon like a wummin's hair lowsed frae its preens at nicht. An the clyack wis bun an pleated wi bonnie blue ribbons, an they liftit Minnie grippin the shaif ontae Fauldie's back, an led them hame in triumph tae the fairm, their faces brunt broon bi the sun, caff fleein like gowden stoor frae the dowp o the creakin cairt that duntit ahin great Tibby's sweeshin tail. An Minnie forget tae speir foo Isie hid come bi yon bruises, far her breistbeen jyned the foon o her lang fite neck, as the hairsters skailed frae the park settin aff fur hame or byre or fariver their roadies tuik them.

Flooers in October

At the fit o Steenhillock brae, a twa mile ben the main road frae the neep-park cottars wis a crossroads. Here, ye micht cairry fair on tae Dunracht some fower mile aff, or fork tae the north three mile as the craa flees, tae the clachan o Leddrach gin ye'd a mind. In the nearest neuk o the crossroads wis Kilrogie schule, ae lang chaumer wi a stove tae gie some heat, a rikkin lum wi its schulehoose tackit ontil't. The ruler o this sma empire wis Miss McFarlan, as dour an nippit an soor's a limb o the educational tree as iver liftit a tawse. Faith, Tarry McPhail wad say, ye wadna need tae bigg a tattiebogle tae flegg the craas awa, jist open the schuleroom windaes an lat them hear her skreichin fin her birse wis up, or something misfittit her.

Kilrogie schuleroom wis stervin cauld in October. The wee stove huggit its heat tae itsel as if it wis feart tae share it. The heather in the moss o Leddrach, atween the schule an the Menzies fairm o Tullynorth wis poodery an broon, the heather bells mair like wee dry castanets, rattlin in the dreich wins. At the back o the schule, the glaury puil wis a sottar o kirned dubs, far bairns' tackety buits hid trampled the simmer girse tae smush. East o the schule an the puil, the wids o Pitrasherty rase up, a bield fur rubbits, a hinneycaim wi their burras, a rubbit fortress. Frae their dubby lair they reenged ower the nearhaun fairms ettin aathing clean in, a plague o furry locusts.

Minnie luikit throwe the schuleroom windaes inno a sky, a corp that wis drained o bluid, nae a pikk o colour in't, blae an dull as dishwatter. The birks in the wids, tho, war a lowe o yalla an gowd, the hips an hawes in the sheughs war skirps o bluid,an roon the fit o the muckle horse-chestnut trees, sheeny conkers lay in their wee green spikey jaikets somelike knights' maces o auld.

In the verra mids o the wids stude the Horsie Steen. The bairns o the Leddrach caad it the Horsie Steen, fur gin ye luikit close eneuch, ye cud jist makk oot the shape o a carved shelt wi a chiel on his back. A Pict, fowk said he wis. Foo it cam tae be there nane o the bairns kent, bit Minnie Bruce secretly thocht the shelt micht be an ancestor o Fauldie, her Da's favourite horse, tho Fauldie wis bigger nor yon shelt, wi braider feet, an heicher aathegither. She cud jist aboot makk oot the horsie-steen frae the windae o the schuleroom. Dandy Davidson, Steenhillock's orraloon, wis there in the wids aside it. He wis a fernietickelt loon, aa airms an legs like a daddy-lang-legs, fa smokit a cutty pipe an keepit a futterat fur rubbitin. His fowk ained a craftie hauf wye doon the steep, rain-ruttit roadie worn roch bi the hooves o kye an horse that ran atween Steeny's an the main road. The craftie wis a nochtie placie, a wee roch patch in the itherwise glimmrin silky greens an gowds o Matthew Bruce's hey an corn parks. Dandy hid left the schule at simmer, finiver he turned fowerteen, an gane tae wirk at Steenhillock. Eenoo, he wis slawly creepin roon the rubbit's hoosies, blockin aff ilkie hole wi a steen, makkin ready fur a day's wirk wi the futterat, a slack time at the fairm an a gweed chaunce tae kill aff the furry vratches o rubbits.

Minnie's teacher wis staunin in front o the stove warmin her dowp. She wis a year or twa the wrang side o forty, Miss McFarlan, an ill-naturet worrit o a craitur wi a reid mowser on her tapmaist lip an a permanent lirk atween her broos, like an ill-fittin seam. There war nae mair nor ten bairns at schule that foreneen. The missin echt war frae fairms tae the wast o Dunracht, an thon day they war awa liftin tatties at Pitrasherty

Hame fairm, sae excused frae attendin. The takk-aa wadna be veesitin the hoose fur an argy-bargy. The tattie-howkin wisna tae stert at Steeny's, Tully's, nor Northies till the wikeyn, sae the bairns o schule age frae thon fairms war aa present. Ilkie bairn sat wi a slate an a slate pencil. A map o the warld hung skweejee on ae waa; an embroidered sampler hung on tither. Their ainer, Miss McFarlan, wis spikkin poetry:

Slowly and sadly we laid him down
From the field of his fame fresh and gory:
We carved not a line, and we raised not a stone
But we left him alone with his glory!

Dowpit doon at the back o the class, Isie wis scrattin oot her ain version o't wi a slate pencil on her slatie, in scratty haunwritin:

Slowly an sadly we laid him doon
We rubbit his nose in butter
We pit him in a sardine tin
An floatit him doon the gutter.

Minnie leuch. Miss McFarlan heard her. Up she merched an read Isie's scrattins. The tawse cam oot o its drawer, an the teacher wheeched it throwe the air wi its lang leather tongue, skelp ontae Isie's saft plump haun.

'Isie Menzies, ye've as much sense as a flech,' she raged.

Isie tossed her lang reid pleats an sniffed.

'I dinna care fit she dis,' she telt Minnie as Miss McFarlan gaed back tae her desk. 'Fin we roup oot at

Mairtinmas, Da's pitten me tae a braw schule in the toon, naething like this tippency haepenny flea-pit. Miss McFarlan's jist a glorifee'd skiffy, Da says, she wadna ken a bar o music frae a bar o soap.'

Minnie's brither Matty gaed tae a braw schule in the toon, Strathbogie College, tho Minnie wis quicker on the uptakk. Bit then, she wis jist a quine an wad likely get merriet: a waste o a gweed education aabody said. Sae she sattled fur playin at schulies ahin the henhoose at Steeny's wi her clooty dall an the chuckens as pupils. Miss McFarlan, tho, wis gled o Minnie's help as a monitor wi the littlins. Maist o the littlins war frae ae faimly, steppies an steenies, belangin tae Spikk Thamson an his wife Molly, fa farmed Northies, neist door tae the Menzies fairm o Tullynorth, tae the east o Steenhillock. Fowk caad him Spikk fur he seldom opened his mou, bit wad answer ye wi a nod or a grunt or a nicher like an auld dane shelt. His wife, Molly wis roon's a buttered bap, tho fit wis fat an fit wis bairn wisna gweed kennin, fur since they'd bin merriet she drappit a bairn ilkie year. They keepit a champion bull, bit fowk said that Spikk o Northies micht makk a better job himsel if he lowsed his galluses in the byre. Faith, he michtna be bonnie, bit there wis nae denyin the chiel wis fertile. Forbye, Northie's bull wis a coorse, ill-natured breet an wad gore ye as quick as luik at ye if ye made the mistak o cuttin ower Northie's grun on the wye tae schule. Northies keepit a puckle yowes at the back o the Hill o Leddrach, black-faced yowes, bit maistly he let his parks oot fur feedin beasts. He anely fussled twa tunes did Spikk, *Katy Beardie* and the Leddrach Pairish favourite, *Teenie Trickie*:

Up wi't Teenie Trickie timmer leg an aa
Up wi't Teenie Trickie timmer leg an aa
Up wi't Teenie Trickie timmer leg an aa
She did it in the coort an ahin the stable waa

Fowk said thon sang cud hae bin aboot Spikk's wife hersel, bit fowk'll say onything. Fariver he did it, the bairns war bonnie eneuch in their wye. Like piz in a pod they war, blin-fair, wi snottery snoots an hair like dried strae. Willie the youngest pee'd his brikks regular raither than sikk oot tae the wattery, bein feart o Miss McFarlan. Maist o the time, he sat in a neuk his lane, sent there in disgrace fur hodgin aboot an nae pyin attention.

Efter the poetry recitation wis ower, the bairns ran throwe the catechisms, syne Miss McFarlan screived a heeze o sums on the boord wi a daud o chakk – it skreiched fin it skyted on the boord an she broke a nail. The aulder bairns war set tae their lang-division an Minnie wis sent tae gar the littlins chant their tables in a neuk. Miss McFarlan tuik up the tings an opened the mou o the blaik stove tae shovel in a sup coal. The fire hoastit oot a black pluffert o rikk an she powked it up tae gar it daunce, afore pittin tee the door again.

The schuleroom guffed o weet, dryin socks an mochles, fur it hid rained in the mornin an maist o the bairns hid cam in like drookit rats. Ten tin flasks, stoppered wi cork an paper, sat roon the fit o the stove, heatin, ready fur their dennertime piece. As dennertime won nearer, Minnie's heid began tae stoon. There wis a ruggin feelin doon at the fit o her wame, as it something hid cleukit her intimmers, an wis tryin tae teir them oot. It wis a fremmit feelin, a new feelin. Forbye, her drawers war damp an sticky, as if something wis leakin ooto her.

'Please God, let it nae be skitters,' she prayed silently. Minnie tuik scunner usin the dry lavvies oot in the playgrun, the timmer seats stukken wi shite, an the stank eneuch tae caa ye ower. She faulded her fingers inno a neive an rubbit them back an fore alang her wame. As the hauns o the clock trailed roon tae bell-time, Miss McFarlan said grace, an her wee bourach o pupils fell tee tae chaw their breid an jam.

'Nae eatin yer piece, Minnie?' speired Isie. 'Gie it tae ain o the Thamsons. They're aye hungry. Ma says they maun hae wirms.'

Minnie suppit her sweet cocoa, bit it didna shift the queer feelin, nor the duntin heidache. Fin she'd drained her tin mug tae the lees, she ruggit on her dry mochles, wippit her scarf roon her thrapple, hauled on her toorie an jaiket an set aff ootside.

'I'm awa tae watch Dandy wirk the futterat,' quo she, thinkin mebbe the fresh air wad makk her feel better. Isie follaed her. She likit tae torment Dandy. He wis three year aulder than them, a skinny-ma-link o a loon, at yon glekit age o fowerteen, nae man nae bairn, a halflin fa smokit a cuttie pipe bit didna yet hae onything tae scrape frae his chooks wi a razor. The fattest rattens in Leddrach bedd in Davidson's ae crazy rukk, the hale place wis little mair nor a rickle o steens held thegither wi spit, bit they war weel eneuch likit for aa that they war throwe-ither deevils.

Dandy hid stoppit aa the rubbit's holes bar twa. Inno ae open hole, he wis makkin ready tae pit the futterat. Syne he'd rin roon tae tither an catch the rubbits as they cam fleein oot, terrifee'd, chap them ahin the neck an kill them. He lowsed the towes frae the neck o a sack he wis cairryin. The futterat wis curled up in a baa at the fit o't, soun asleep.

'Ye can stroke him if ye like. He's a quate breet,' he telt them.

Isie pit her haun in first, drawin it ben the back o the sleepin futterat. She gied a wee shiver o delicht.

'Sae smeeth his pelt,' quo Isie. 'Lift him oot, Dandy!'

The halflin liftit the sleepy futterat ooto the pyoke fur Minnie tae haud in her bosie. It wis aboot the size o a squirrel, bit lang an lean far a squirrel wis biggit like a tea-cosy. It wis the colour o pale hinney streakit wi broon, wi twa sherp preens o een, like Minnie's ma's hat preen that she wore fur best on Sundays.

It guffed o musk, a queer strang smell that Minnie's neb hid niver smelt afore.

'Fyaach!' quo she.

'Fyach yersel,' replied Dandy, risin tae the defence o his favourite pet. 'Ye smell jist as strang's the futterat.'

'I dinna,' the quine cried, turnin reid-faced, hopin the damp in her brikks wisna skitters efter aa.

'Aye bit ye div,' said Dandy. 'Aa humans smell. See my hauns?' He liftit up his haun tae show the quines. They war clartit green an black wi dubby girse.

'I hae tae rub ma hauns hard on the grun tae get rid o the man-stink, afore I gyang near the warren, or the rubbits wad get win o't.'

The futterat yawned in Minnie's airms. Its wee coorse mou wis like an opened trap, twa raws o razor sherp teeth that cud takk yer finger aff as quick as luik at ye. She luikit in its een, bit cudna read fit lay ahin them, in its wee wud harns.

Isie likit the futterat. Minnie wis feart o't. The futterat smelt the fear, an nippit her, drawin a bricht skirp o bluid. Dandy Davidson wheeched it awa.

'Preen yer lugs tae the grun,' he telt the twa quines. 'Ye'll hear fit happens fin the rubbits ken the futterat's in their hoose.'

Minnie an Isie lay doon on the cauld, hard grun, an listened. The futterat wisna a meenit doon the warren, fin the quines cud hear the rubbits drummin wi their hinlegs, drummin oot the warnin souns that rubbits makk tae warn the lave o danger, deidly danger. Syne there wis a thin skreich like a bairn skirlin oot o't – ay, richt like a terrified bairn, uncanny yon, near human, an the first o the rubbits shot oot o the ae unblockit hole, tae be killt wi a dunt bi Dandy, an laid oot on the frosty grun. Een or twa gied a lowp or twa wi their legs, tho their necks war brukken an they warna gaun onyplace onymair, afore they streekit oot wi their derk een glazed an jeeled.

The pain at the fit o Minnie's wame grew waur. She cud feel the stickiness growin atween her legs. Dandy said she stank. Mebbe she did. She rase up frae the warren, an left them til't. Isie wis enjoyin hersel, she aye did fin loons war aroon. Minnie hid telt her ma an Meg Ramsay aboot the bruises she'd seen on Isie's neck in the Earth Hoosie, an Meg an her ma hid luikit at een anither, an said that Isie wis surely gaun tae be 'a man's body,' fitiver that meant, an warned Minnie niver tae get ower close tae a loon or something micht happen, tho they didna tell her fit that thing micht be, tho it soundit rale nesty. Loons cud be coorse, she kent that. They blew up puddocks wi a straa till they burst. They rypit teuchits' nests an broke their eggies. If loons cud dae thon tae the breet beasts, fit cud they dee tae quines?

She wakked awa frae the warren, leavin Isie an Dandy tae their ain devices, an cairriet on inno the mids o Pitrasherty wids, till she reached the runkled face o the Horsie Steen. Loons warna coorse tae shelts like they war tae puddocks, or rubbits, or daddy-lang-legs. They pu'd the wings an legs aff daddy-lang-legs an thocht it fun. Jock Dow the grieve, her ain da, Matthew Bruce, Dandy, even, war gweed tae shelts, tho. Fair made pets o them, thocht mair o them whyles than they did o their ain families. It wis naething fur Minnie's Da tae bide oot aa nicht sleepin in the strae wi a meer at foalin time. Fin Fauldie tuik colic eence, her da hidna slept atween sheets fur fower days till the horse wis richt better.

The wids war quate, here, an dreich. A twa-three yalla leaves flichtered doon frae the tap o a great horse chestnut. A craa flappit awa skreichin, pit oot that she'd disturbed him frae his reest. She dowpit doon on the crackly forest fleer wi its smush o beechnuts an leaves an ooto sicht o aabody, drew up her skirts. Fit she saw drave the pech clean frae her, an pit twa fite brands o fear on her rosy chikks. The stickiness wisna skitters, efter aa. It wis bluid. Things anely bled like that fin they war hurtit, ay, hurtit sair, like the rubbits grippit an killt in the teeth o the futterat. There wis nae sign o a cut, nor a bruise tae be seen. Wi trimmlin hauns she liftit the dry leaves tae scrape the bluid awa luikin fur some deep hurt on her flesh tae makk sense o't. The bluid wisna comin frae ootside, tho, it wis seepin frae inbye her. Something inside her wis hurtit, wis brukken. Mebbe she wad dee. She tried tae clean it awa wi haunfus o roch dry girse an moss, bit anely spreid the sticky clart aa ower hersel. Noo, her verra hauns war reid, like Meg the cook fin she washed coo's liver oot afore she sliced it.

She stertit tae rin fur hame, keepin weel ooto the road o Isie an Dandy, skirtin the back o Rogie's puil far the littlins war still duntin their feet on its steeny banks, ettin their denner piece an flingin steens in the dubby watter. She ran throwe her Da's peat cut at the Moss o Leddrach, rinnin as if her life dependit on't, fur faith, she thocht it did, her hairt thumpin an stoonin like a wud thing, like the rubbits' warnin feet at the stank o Daith fin it entered their ain derk chaumer.

There war twa roads noo she micht takk, up by Tullynorth, far her aunt, Lotty Menzies wad be gaitherin eggs fur an efterneen at the bakin, or north-wast throwe the neep park, its shaws aa rottit an frostit. Hitchin up her draiggled petticoats, she climmed the dyke at sic a rate she caad doon the tapmaist steen. Dandy wad seen be set tae mend it onywye, fit fur little eese till he learned the plooman trade. Her buits cobbled ower an sliddered atween the raws o neeps, bit on she ran like a tod wi a pack at its dowp till she reached Kilrogie wids, an the ae gress park that lay atween her an hame. Here, she dauchled awhile, tae catch her braith, fur her lungs war sair noo an she focht fur win. Her braith, fin she lat it oot, hung afore her like a wee grey cloud. The great green firs aroon her stood like watchers, sayin naething ava bit their ain laich Autumn sough.

A bare ten meenits frae hame, she luikit throwe the spinnle airms o a beech at the wallie richt in the mids o the girse park. Jock Dow the grieve wis a dowser; 'twis him that fan thon wallie three year back, wi naething bit a fork o hazel atween his hauns tae pynt it oot. He'd let Minnie haud the hazel fork the day he'd fand it. In her twa wee hauns the twig wis a deid, fooshionless thing, bit fin Jock tuik her twa thin wrists in his great roch hauns, the hazel lowpit. Syne the twig pulled doon wi a force like magic that fair bumbazed her. Deep, deep doon in the wame o the lan, ooto sicht o mortal een, the watter bedd, in its cauld blaik lair. Bit Jock Dow'd fand it oot, it cudna hide frae him. Fit if Jock Dow cud dowse fur bluid as weel? Fitiver wis torn an wellin up inside her, wad Jock Dow ken?

Thochts raced throwe her heid like rinnin bawds, criss- crossin a corn park afore the binder. Anither stoon o pain at the fit o her wame drave her on again, throwe the park, ben the back o the stable, roon the side o the byre, an throwe the coort. Syne she wis liftin the latch on the green timmer gairden gate, she wis clatterin ower the steen path flags aside the muckle cheese press, she wis pushin open the door o the hoose, she wis intae the kitchie, an greetin in Meg Ramsay's bosie.

'Wheeshtie, wheeshtie lassie, fitiver's adee?" speired Meg, showdin her maister's dother back an fore.

'I'm deein, I'm deein, Meg,' Minnie sobbit oot, an fin she'd quatened a bit like a fleggit beast that's fand a safe neuk, she telt Meg fit hid happened til her.

'Weel, weel, is that aa,' quo Meg. 'It happens tae aa lassies aroon your age. I'll poor a sup hett watter inno the basin, an clean ye up. I'll gie ye something tae weir tae catch the bluid, an seein's ye've hid a gey fleg, mebbe I'll lay oot yer goon. I'll fill the steen pig wi hett watter, an up ye gyang tae yer beddie wi Betsy yer dall. Fin ye're aa redd up an cosie, I'll bring ye a cuppie o tea, an we'll hae a news aboot this. Yer ma should mebbe hae warned ye that this wad happen.'

'Far is ma?' speired Minnie, growin a thochtie easier.

'Ower at the byre wi yer da. There's a sick coo needin attention.'

'I canna pit on ma goun, Meg, I've tae help wi the milkin at teatime.'

'Nae the nicht, ye winna. Ye winna set fit in the byre till ye're better. A lassie in your condition wad soor the milk.'

An the skiffie washed her an soothed her, an tuckit her up in her bed, comin back in a wee whyle wi the promised cuppie o tea, tae explain far the bluid cam frae.

'His naebody telt ye onything aboot it ava?' she speired.

Minnie shook her heid.

'Weel, it comes tae aa weemin, The Curse, an it comes ilkie month till ye're auld an past the age o haein a bairn yersel. Gin ye takk doon yer faither's Bible, ye can read fur yersel the wye o't. I'm nae muckle eese wi wirds.'

Meg opened the Buik at Genesis, chapter three, verse saxteen, an read till the young quinie fit God said tae Eve efter she'd temptit Adam inno ettin the aipple o wisdom, an throwe her coorseness, baith o them war turnt ooto Eden, like ill-daein cottars at term-time.

> I will greatly multiply thy sorrow and thy conception; in sorrow thou shalt bring forth children; and thy desire shall be to thy husband, and he shall rule over thee.

That much Minnie kent wis true. At dennertime, her faither wis aye fed first, syne the fee'd men that ate wi them. Weemin war fed neist, bairns efter thon, the collie dug Benjy last ava. That wad likely be far the wird Evil cam frae, efter the first wummin in the first gairden on earth.

'It's fule bluid, Minnie. Orra.'

'Div men bluid tee?'

'No. they hinna got The Curse. Jist weemin. An ye shouldna wash yer hair fin ye're nae weel, at yer time o the month.'

'Foo nae?'

'It washes the strength ooto ye. Forbye it's affa unlucky.'

'Bit Da'll winner fit wye I'm nae helpin him in the byre!'

'Lordsake lassie, yer surely nae thinkin o tellin him! Na, na. That's een o weemin's secrets. Men hae theirs, tee.'

'Fit secrets dae men hae, Meg?'

'If I telt ye thon, it wadna be a secret. Bit ye'll tae ca cannie, noo Minnie, an bide awa frae loons, fur noo ye've gotten The Curse ye can faa wi a bairn.'

'Foo div ye faa wi a bairn, Meg?'

'Bide awa frae loons. or ye'll seen fin oot. Hiv ye niver seen the staig mount the meer? Or the bull in the park wi the coos?'

She wis niver let inno the stable fin the staig cam veesitin, an as fur the bull, it luikit like coalie-bag lifts, like ye played in the playgrun. She wis mair bamboozelt nor iver.

'Anither thing'll cheenge noo, an aa,' the kitchie deem continued. 'Ye mauna gie yer Da a bosie afore ye gyang tae yer bed. Ye're ower auld fur bosies noo. Bosies lead tae ither things wi man bodies.'

'Fit ither things?' speired Minnie.

'Ye'll ken seen eneuch. It's jist that men canna help thirsels, sae it's up tae weemin tae bide oot ower an be decent.'

Meg left her maister's dother tae luik ower the Bible tae see fit else she micht fin oot aboot weemin an the vexed business o The Curse. The Gweed Buik fell open at the fifteenth chapter o Leviticus:

> *And if a woman have an issue, and her issue in her flesh be blood, she shall be put apart seven days; and whosever toucheth her shall be unclean until the event.*
>
> *And if any man lie with her at all, and her flowers be upon him, he shall be unclean seven days, and all the bed whereon he lieth shall be unclean'*

Flooers... a queer wird fur bluid, bit fittin, somehow. Like the hips an hawes that flamed in the briars eenoo, like the petals o the rose itsel fin it bloomed in simmer. Except these flooers war secret flooers, an these flooers war unclean, like Minnie hersel, barred frae the beasts in the byre till she wis better, barred frae her faither's affection, a bladdit flooer, an unclean flooer, till the reid filth wellin up inside her wis ower an by.

Halloween

Wi rowan tree weel fenced aboot
We're safe frae ilkie evil
Fur weel I ken thon wid his pouer
Tae scare awa the Deevil

Minnie wis dowpit doon cross-leggit at her faither's feet, howkin the intimmers ooto her Halloween neep wi a soup speen an gaitherin the scrapit dauds o veggie inno an auld tin pot. There wis naething byordnar in this, in ilkie ferm aroon the pairish cottar an ferm bairns wad be daein the same. Hoosaeiver, the auld tin pot wis placed abeen an ootspreid newspaper because Minnie an the neep war ben in the gweed room, far her faither wis readin the faimly bible afore he rigged fur a meetin o the kirk session. Sally Bruce, her mither, wis throwe in the kitchie, ironin Steenhillock's best sark. Oot in the stable, Jock Dow the grieve wis groomin the horse in the stable, makkin ready tae harness it tee til the gig fur the hurl doon the roch road tae Steenhillock kirk manse. The tea dishes war steepin in the sink, stukken wi birssled stovies, an Meg Ramsay wis new back frae the byre far she'd bin helpin the cattleman feenish aff the milkin.

Minnie adored her Da. Her faither wis a heich, trim chiel wi a braw broon mowser like the Kaiser's, an a fob watch glentin at his westcoat pooch. He cairriet his 52 years unco weel, clean livin an godly, fell godly. He wis twinin een o Minnie's lang black curls roon the fingers o his left haun, an turnin the pages o the Haly Buik wi the tither. The lamps war lichtit, a saft, gutterin lowe, an the fire wis dauncin blythely in the hairth. The braiss tings an poker stood in the coal scuttle, alive wi shaddas an firelicht. As Minnie eidently howked at her neep, her faither read aloud frae the Auld Testament. He wis readin aloud frae Genesis twinty-echt, the story o Jacob's laidder:

> *'An he dreamed an saw a laidder set upon the eirde, an the tap o it reached tae Heiven, an saw the Angels o God gyaun up an doon on it. An luik ye, the Lord stood abeen it an said, 'I am the Lord God o Abraham, thy Faither an the God o Isaac. I shall gie ye the lan ye lie on tae yersel an yer bairns efter ye. An yer heirs shall be like the eirde's stoor, ye shall spreid afar tae aa the airts, an in ye an yer heirs shall aa the faimlies o eirde be blessed. An luik up, I am wi ye an will keep ye in the place ye gyang....fur I willna leave ye.'*

Minnie pit the speen doon on the rug an restit her haun a meenit, fur it wis hard wirk howkin oot a Halloween neep.

'Wis the Divil an Angel tee, da?' she speired.

'Foo are ye faan frae Heiven, o Lucifer, son o the mornin. Isiah, verse 14, chapter 12,' her faither made repon. 'Ay Minnie, he wis, bit he thocht himsel greater nor God an the Lord cast him doon tae Hell.'

'Doon the laidder, da?' speired the wee quine, fair teen wi the thocht o the ghaistly laidder raxxin frae Heiven tae the grun.

'Wheesht Minnie,' her faither telt her, nae unkindly. 'Yer brither's tryin tae feenish his lessons.'

His fingers, that hid been twinin the lassie's bonnie curls, noo fell tae strakin her heid like she wis a wee kittlin. She wis a pettit craitur, he cudna hide that he favoured her far abeen her brither Matty. Bit Matty wis the son o the hoose, the heir tae Steenhillock an aathing in it; steen an lime aye gaed tae the loon, auld Scots law, naitural law, an Minnie's claikin tongue hid tae be stilled tae let the loon get on wi his hamewirk.

Matty wis a dour loon, a scholar, nae as bonnie as Minnie, nae as clivver as Minnie, bit nae feel fur aa that. Eenoo he wis dowpit doon on a steel at a sma aik table ower bi the windae. English, Latin an Science jotters lay at his neive. Whyles he hatit his sister, fur their Da made nae attempt tae hide the fact he likit her better than ony livin body aboot the place, better even than Matty's mither, Sally. Throwe the windae at his elbuck, he cud see the stibble park far she'd liftit the clyack shaif, raxxin teem an bare in the meenlicht ootbye, ower tae the whinny braes o the knowe o Leddrach. Yestreen, his faither hid spent the foreneen up thon knowe sheetin fite hares, an Meg Ramsay hid the guttin, skinnin an stewin o them fur the evenin meal. Matty, fas neb wis niver ooto a buik, lost nae time in tellin Minnie as she suppit her platie o hare stew that warlocks cud takk the form o a hare an that even noo they aa micht be eatin een. Matty hid said thon kennin fu weel that his sister hid a vivid imagination an like as no the thocht o ettin a warlock wad pit her aff her sleep. Sure eneuch she'd hardly sleepit a wink fur thinkin on warlocks an hares, even tho her faither hid raged Matty an telt him tae haud his wheesht, an speired if that wis aa the siller he gaed tae Strathbogie College wis gweed fur, learnin auld wives tales tae fleg wee quines.

The Hill o Leddrach wis weirin a reid croon, a sma reid spirkin toorie far Northies' bairns an puckles o the nearhaun cottar halflins hid lichtit a Halloween bleeze:

Bonfire, bonfire, burn aa
Keep the fairy fowk awa

Minnie kent that fires wad be lichtit in puckles o parks roon Leddrach, ay, an Dunracht tee, bit nae tae keep awa fairies, naething sae nochtie as fairies, na, tae keep awa the Auld Laird o Leddrach, the Warlock Laird beeriet in Steenhillock kirkyaird at the verra back yett o the Reverend John Geddes himsel. She wis itchin tae speir at her faither aboot the warlock, bit kent fine he didna haud wi superstitious styte an anely tholed the howkin o the neep an the dookin fur aipples tae come, because aa bairns howkit their neeps an fleggit een anither wi tales aboot ghaists an bogles, an he wadna takk awa her hermless pleisurs, tho he didna approve o them.

They sat quate fur the neist hauf oor, faither, son an dother, as derkness deepened its grip ower the lan. The anely soun wis the wee sooch frae the Bible as Matthew Bruce turned ower its gowd-edged pages, the scrat o Matty's pen as he screived his Latin grammar, an the rasp o the speen as it turned ower the yalla dauds o scrapit neep. The lowe spirkit an crackit up the lum, an the clock on the mantlepiece gaed clunkety-clunk till it struck the quarter-oor an a wee bit tune sang oot frae its clockwirk throat. Matty's tyke, Benjy, wis sprauchled afore the fire, raxxin his paws, his wyme stappit wi parridge, his een steekit, breathin broken an whizzly as anely a dreamin dug can, his touzly coat taigelt wi dubs, wee tossils o glaur hingin frae the hinneryen o't. Benjy, tae, wis anely tholed in the gweed room bi Matthew Bruce because Minnie likit him there. Fin Minnie wis some itherwye, Benjy wis keepit ootbye, or ben in the kitchie.

Matty wad hae tae brush him afore he beddit, bit nae afore he'd steppit ower tae the byre tae luik ower the kye that pit siller in the bank an breid on the table. It wisna Latin grammar nor algebraic equations that did thon, na faith ye, an Matthew Bruce niver let his loon forget it. Matty wadna gyang on tae takk a degree like the lave o his fiers, nae siller in that; his road lay in the plyter o the parks ootbye, an if it wis coorse tae open the door o learnin tae his young son an syne shut it again, Matthew Bruce wad hae disagreed. Fermin wis bred inno him. The Bruces war Steenhillock as much as the Hill o Leddrach an the Troot Wallie, as much as the smaaest birk in the neuk o Kilrogie wids. Learnin, tho, wis fit set the fermer apairt frae his cottars, fur a smatterin o learnin meant that the loon cud haud his ain wi doctors, lawyers an the like, speecially wi a weel-stockit byre o beasts an parks fu o aits an barley tae add tae his wealth.

At hauf by sax, Minnie's mither cam in wi her da's sark, tae say that Jock hid harnessed Tibby tae the gig an wis wytin wi the rynes ootbye in the coort. Minnie didna bide lang efter her faither left. The neep wis feenished. She sterted tae play wi Benjy, Matty's dug, puin his fuskers till he gurred.

'Leave him,' her brither warned.

'Winna,' cam her answer.

'Leave him Minnie, or ye'll wish ye did.'

'Winna.'

Bit fin Matty lowered his broos an pit doon his buik, Minnie kent she'd gane ower far. She liftit the neep an ran ben tae the safety o the kitchie. Meg Ramsay an her mither Sally hid a tin basin wytin reamin wi watter, fur the quinie tae dook fur aipples blinfauld. Efter the dookin wis daen, Minnie's lang ringlets war weet as cat's sookins plaistered roon her broo. She tirred her claes an pit on her flannel goon. She sattled inno the horsehair cheer bi the kitchie fire wi her clootie dally, Betsy, an sterted tae prig wi Meg Ramsay an her mither fur Halloween stories.

'I dinna ken ony Leddrach stories,' her mither telt her. 'Haud yer hauns oot an haud this hank o worsit till I wyve the oo inno a baa. The anely queer kinna stories I iver heard war aboot the Wee Fowk that flittit frae Migvree tae Leddrach, some like masel fin I merriet yer faither. Anely they didna wint tae flit, an they cursed the warlock fa gart them shift wi his spells:

Dool tae the Warlock o Migvree
An dool tae Migvree's heir
Fur drivin us frae oor seely hame
Tae Leddrach's steeny lair.

'Stop hodgin, Minnie, an keep yer fingers straicht.'

It wis wearisome, haudin her hauns up in the air whyle her mither wippit the oo roon an roon inno a baa, bit it hid tae be dane if they winted socks or ganzies or mochles or scarves or toories tae haud oot the cauld aa winter. Minnie tried anither tack.

'Meg, fit d'ye ken aboot the Warlock o Leddrach?' she speired. 'Wis he as coorse as aabody says?'

'Oh, fully, ay an mair,' quo Meg, timmerin on wi the dryin up o the plates, near up tae the oxters in hett sapples. 'Twa hunner year ago this verra nicht, the Warlock Laird o Leddrach wis pit tae bed bi his last seikness. Noo as ye'll aa ken *(an here, Minnie cockit her lugs, fur she didna ken ava)*, fin the laird wis a young loon, he traivelled frae Leddrach tae Padua ower in Italy tae attend a schule run bi the Deil fur them that wintit tae learn the inns an oots o the Blaik Airt, an eence there *(here, Meg stoppit a meenit tae claw a daud o birsselt neep frae the foun o a pan wi a knife, garrin it skreich like a banshee)* the Deil gart aa his pupils pledge their immortal sowel in excheenge fur their seeven year learnin. An twa hunner year ago this verra nicht, the Deil cam ower tae Leddrach tae claim the warlock's sowel,' quo Meg, her een dauncin wi glee.

'Ay, bit thon wisna the eyn o't,' Sally Bruce buttit in. 'Even I ken that, an I'm frae a different pairish hyne awa. The warlock keepit fower birds as his familiars, ye see.'

'Fit's a familiar, ma?'

'Speerit servants that dae fit they're telt... nae like you aye hodgin aboot an drappin ma worsit.'

The quine quatened doon as her mither set aff again wippin the worsit roon an roon the baa an pickin up the threids o her story.

'Maist witches keepit a taed or a puddock or a kittlin aroon them. Bit nae the Warlock o Leddrach, na, he keepit fower birds. A corbie, a jackdaw, a hawk an a skreichin magpie. An fin he drew near tae deein... *(an here, the wippin o the oo slawed doon fur fear the tale got raivelled)* the Divil rode like the win tae claim his sowel, an sat in the mou o a cave in the gruns o the Hoose o Leddrach, wytin fur Daith tae feenish the coorse breet aff.'

Minnie wis quate as a moose noo, struck dumb bi the verra thocht o the muckle black Deil cockin his hooves in the mou o a cave sae near. Her mither cairriet on faister wi the wippin o the worsit, an the tellin o the tale:

'Bit the Warlock Laird hid read langsyne in a buik that the mirled magpie wisna blaik aa throwe, an gin it focht fur his sowel agin the corbie, ay, an won the fecht, his sowel wad be saved frae the birsslin lowes o Hell. It wad bide ootside the Yetts o Heiven till God tuik peety on't an lat it in.'

At thon, Minnie near drappit the worsit aathegither wi excitement.

'Fa won, mither, fa won the fecht?'

'Weel, the twa birds sterted the fecht on the tap o a steen, an fur seeven oors they flew an pykit an scrattit at een anither, till wi an almichty craik the magpie tore the corbie clean in twa, an ruggit its hairt frae its breist, an won the laird's repreive. An yon's foo the Deil wis swickit, an the Warlock Laird lies beeriet in Steenhillock pairish kirk as if he'd bin a Christian bodie aa his mortal days.'

Nae tae be ootdane in the tellin o stories, Meg Ramsay cappit thon wi tales o chiels faa'd disappeared an niver bin seen again in this warld again, till on Halloween, they'd reappeared wi the help o the fairy fowk:

The nicht is Halloween ladye
The morn is Hallowday
Then win me, win me, an ye will
Fur weel I wat ye may.

The baa o worsit wis knottit, the kitchie fire was dampit doon wi dross. Meg Ramsay wadna let Minnie awa till she'd pared an aipple hale an cowped the lang reid skin ower her left showder. It laundit wi a plowt on the grun an curled roon like an *a*.

'Thon's the first letter o the name o the chiel ye'll mairry,' the kitchie maid cried, lauchin an clappin her hauns. 'Alec, Airchie, Arthur, Alan, Albert, Alister... Staun up on the cheer Minnie, up ye go noo, that's it, cannie, an teet in the keekin glaiss ower the sideboord. Ye should see his likeneess growin ahin ye, there in the glaiss, ower yer left showder. D'ye see't yet, quinie?'

Minnie shook her heid. The glaiss wis teem forbyes the kitchie in shadda, lowpin wi fire an caunle-licht. The oorie face o the lichtit neep teetit ower at her frae the table frae its slit een wi its sherp wee cuttit teeth gantin like a wolf's mawe, an the rikk risin up like a curl frae a hole in its eildritch heid.

'Wheesht Meg, yon's eneuch. We're nae sikkin a weet bed the morn's mornin,' the mistress o Steenhillock telt her skiffy, thinkin they'd mebbe gane some far in fleggin the bairn. Sally Bruce drew ower a kitchie steel, an stude on't tae preen a sprig o rowan abeen the windae.

'There, noo. We're safe eneuch. An Jock's pleated the horses' tails in braids, sae they'll be safe frae herm this nicht an aa.'

Meg rose at her mistress's tail tae draa the kitchie curtains ticht, shuttin oot the ferlies o the nicht. Syne on wearie, fleggit feet wi her caunle gutterin in her haun, Minnie traivelled the timmer stairs tae bed, feart tae luik in the braisse rods haudin the carpet flat tae the steps fur fear o fit she micht see there, gled that her faither Matthew wis a kirk precentor, fur the Divil wad niver daur meddle wi him.

An yon wis foo Samhuinn cam tae Steenhillock, the first Winter's nicht o the Celtic year, on frostit meenlicht feet ower the quate parks. The hale o thon frosty nicht, the youngest quine on the ferm tossed on her bowster an dreamt o the ghaistly laidder that raise frae the warld tae Heiven. An a swan flew throwe her dream wi a harp at its snawy briest, fur the picturs frae Matty's buiks tuik reest in his sister's heid an daunced there awhile ahin her sleepin ee till the cock crawed in November abeen the midden an the lang deid months o cauld flittit in.

The Horseman's Wird

Matthew, Mark, Luke and John,
Haud the horse till I lowp on,
Haud it faist an makk it staun,
Hup noo, horsie! Aff we gyang.

On the Hill o Leddrach, the black-faced rams war sirin neist year's lammies. On the fermlan aneth, the rigs hid bin drawn, the feerins raised. The ploo hid bin oot aa wikk on the parks o Steenhillock, the fite gulls skreichin at its dowp. Whyles, the ploo wad strikk a steen an the ploo blade wad sheer awa frae the rig, an the air wad be blue wi sweirin. Up an doon, up an doon the lang rigs the yokit horse ruggit the ploo ben the clarty glaur till it grew ower dark fur the plooman tae see. Syne the team war led back tae the stable fur the nicht, tae be tied tae their staas, unharnessed, beddit an wattered an fed, an the harness heistit up ower the spars o the stable. Fin the great beasts stude chawin their meat, the rikk risin aff their swytin flanks, Jock Dow sang as he caimed the touzles an taigles frae their silky manes a swatch o Drumdelgie, throwin his roch heid back an takkin a richt moofu o the wirds. He hid a pouerfu voice, Jock, bit nae a sweet een :

The frost it bein sae verra hard,
the ploo she wadna go
An sae commenced oor cairtin days
amangst the frost an snaa...

Ower at the ferm hoose, the fire in the ferm kitchie brunt wi a blue flame, a sure sign o frost. The stars war that sherp in the sky they luikit like cut gless. The ferm kittlin wis purrin afore the fire, twa threids an a thrum, twa threids an a thrum, rochlin doon at the foun o its furry thrapple. The lowe wis biggit heich wi peats cut frae Steenhillock's share o the Moss o Leddrach moss. The lamp wis lit an the kitchie wis criss-crossed wi shaddas, lowpin like imps. The anely things steerin in the kitchie apairt frae the kittlin, war Minnie, her cousin Isie, an Meg Ramsay the maid.

Fur the last month up till Mairtinmas, the Menzies hid bin makkin ready tae roup ooto Tullynorth. They hid selt their grun tae a chiel at Dunracht an bocht the Glamis Hotel in the hairt o the toon echt mile awa. They hid nae son tae takk ower the ferm, faith, the Menzies hid nae ither bairn tae connach bit Isie. She hid wyed near eleeven pun at birth, an near killt her mither comin inno the warld, a queer thing thon, fur she wis denty noo an sma boukit. Isie wis tae be sent tae a fee-peyin schule fur young leddies in the toon, tae polish her up like a bit o jewellery, sae she micht makk a gweed match an mairry intae siller. She'd a heich opinion o hersel did Isie, bit still hid a saft spot fur Minnie. Jewellery aye luiks best fin it's preened tae a plain kinno cloot.

The roup hid laistit twa days, a great steer in the pairish, gigs an cairts an shelts, motor cars an bicycles chokin up the roads an parks aroon as fowk steered in frae Leddrach, Dunracht an Kilrogie efter a bargain. Isie hid bin packed aff ooto herm's wye tae bide at Steenhillock wi her cousins, Minnie an Matty till aa the stooshie wis by. Nae that Matty luiked ower his snoot at her leddyship. Bein twa year aulder than her, he thocht himsel fair the man, noo. Hurlin oot an in tae the college ilkie day, he wis eesed tae seein toon quines decked up tae the nines, wi their hair tied up in ribbons an ither falderals.

The Bruces hid bocht a heeze o trock at the rowp, nae least an auld pianie tied onno the milk cairt an pu'd hame bi Princie an Tibby. Isie wis tae get a new pianie in the toon tae dirl an thump, thon auld moth-etten pianie frae Tully's wad dae fine fur Minny tae plavver an plunk on. This ae nicht, Meg Ramsay wis in chairge o the twa quines an the hoose, fur Matty an his Da an Ma war ower at Tullynorth. There they'd aa bide till daybrakk, makkin ready fur the flittin o the Menzies faimly inno the toon.

Past thirty, Meg wis still a bonnie wummin, bit time wis rinnin oot in the merriege stakes. 'She micht be on the shelf,' Minnie hid heard Jock Dow say, 'bit at least she's bin dusted,' fitiver that micht mean, tho he leuch fin he said it, as if himsel hid haen the dustin o her. Tae keep the twa quines quate, the maid hid taen oot the braisse fur them aa tae polish, an reenged it ower the table, tings an poker, coal scuttle, an a hantle ither geegaws frae mantle an press. Minnie wis timmerin up a wee braisse bell wi a cloot, an Isie wis straikin the kittlin ae meenit an puin its fuskers the neist. Meg Ramsay sighed. Luikin efter ither fowks' bairns wis a thankless darg, speecially Isie.

'Leave the kittlin be, Isie,' quo she. 'I'll gie ye een o maister Matty's buiks tae read, wi bonnie picturs in't.'

Bit Isie didna wint tae luik at Matty's buik wi the bonnie picturs; it wis far mair fun tormentin the kittlin till it skreiched an tried tae cleuk her wi its cleuks.

Meg cast the antrin luik at the clock on the mantle fin it chinged oot the oor. Isie wis by aa mindin, as heich as a kite at the thocht o flittin the neist day. Efter the kittlin did draw bluid, an Meg's fingers war itchin tae skelp Isie's dowp, she tint aa patience wi the pair o them an packit them aff tae their beds.

'Awa ye gyang baith o ye till I feenish ma wark doon here. Isie, yer fowk'll be ower at first licht wi the gig tae takk ye intae the toon tae yer new hoose. We winna ken ye fin neist we see ye. Ye'll be ower genteel tae takk us on.'

The maid lichtit a caunle fur the pair, an poored a jeelip o bylin watter frae the kettle inno a steen pig tae heat their bed. Minnie follaed her cousin up the stairs tae her ain wee bedroom an dowpit doon at the dresser tae rug oot her ribbons an caim the toozles ooto her hudderie heid. Minnie's hair wis as wavy as corrugated iron. Maist nichts her Ma wad caim her hair oot wi a been caim fur fear she'd bin smittit wi beasties at Kilrogie schule. The nicht, she wad hae tae chaunce the beasties, she wis ower weariet tae plavver wi the caim.

As Minnie sterted tae unbutton her blouse, she noticed in the keekin glass that Isie wis beddit wi aa her claes on.

'Are ye nae tirrin yer claes?' she speired, movin Betsy her dallie ben the bowster fur fear that Isie wad flatten Betsy, Isie bein nae respector o ither fowk's dallies, or onything else fur that maitter. Isie luikit Minnie up an doon, sizin her up.

'If ye promise nae the clype, I'll tell ye a secret,' quo she.

Minnie promised.

'Sweir on Betsy's life.'

Minnie swore.

'Richt then. I heard Jock Dow spikkin tae Alec an Ned at the roup yestreen, ay, an a puckle mair loons frae ootbye. The made horsemen frae Northies an Jock Dow hae sent oot the sign tae come tae the jynin.'

'Fit sign? Fit jynin?' speired Minnie, bumbazed.

Isie tossed her heid in disbelief.

'Tcyauch, dae ye nae ken onything, Minnie? The loons are tae jyne the Britherhood o the Horsemen. Seeven o them hae gotten a horse hair sent tae them in an envelope wi the time an place o the ceremony. Ilkie een maun bring a bottle o fusky, a loaf o breid an a caunle. They're aa tae meet ootside yer faither's laft here, jist afore midnicht, tae be gien the Horseman's Wird. Your fowk an mine are ower at Tullys sae Jock Dow said they'd hae a free haun, fur Meg Ramsay winna leave the hoose eence she's beddit.'

'Foo dis Jock Dow ken that?'

Isie luikit at Minnie sidewyes.'Because Jock Dow an Meg Ramsay are coortin. An if Jock Dow hisna socht tae see her, she'll gae ben the hoose an takk a stiff dram ooto yer faither's bottle o fusky that he keeps fur veesitors, because she's clean daft on Jock Dow an she winna sleep fur worryin he's gane aff her. Och, even if she disna ging tae the bottle, she'll be that ferfochan she'd sleep throwe the Resurrection. Mind, she'd near aa the milkin tae dae hersel the nicht wi yer fowk awa. She'd sleep throwe the Resurrection she'll be that weariet.'

Minnie stoppit caimin her hair, an sat doon on the bed aside Isie.

'I'd like fine tae see fit they'll dae at a jynin,' quo she. 'Bit Jock Dow wad catch us.'

'Jock Dow winna catch us. He'll be ower fu. An onywye, we're nae gaun tae makk a soun. They'll nae even ken we're there.' Here, Isie's imagination got the better o her.

'They say the Deil turns up wi aa his deevilocks.'

'I'm nae gaun then,' quo Minnie, suddenly feart.

'I micht hae misheard the bit aboot the Deil an the Deevilocks,' wheedelt Isie, seein that she'd peintit some black a pictur o the proceedins.

'Creep aneth the bedclaes an wyte till we hear the clock strick hauf eleeven. Syne we'll rin ower tae the laft an hide ahin the corn sacks. They'll niver be neen the wiser that we're there.'

Minnie mindit a swatch o sang she'd heard her mither singin, an hauf kent noo fit it meant:

It's first I gaed on fur baillie loon
An syne I gaed on fur third
An syne of coorse I hid tae gyat
The Horseman's Grip an Wird.

The young loons o the district wad get the Grip an Wird this verra nicht. An hersel an Isie wad see't!

A wee whyle efter, Meg Ramsay's feet cam up the stairs, on the wye tae her ain smaa bed in the laft. She opened the door an luikit in on her twa young chairges. The lowe frae her caunle shone ower twa pairs o steekit een.

'Peety they waurna aye sae quate, the vratchies,' quo the skiffy, dirt deen efter her day's tyauve.

Lang efter Meg beddit, the twa lassies lay in the derk wi Betsy the dall atween them, listenin tae the squeak o the antrin hairst-moose in the riggin o the hoose an the steady clunk-clunk o the pendulum on the granfaither clock hauf wye up the stairs. Syne, tae thon soons wis addit the rasp o Meg Ramsay snorin. Efter fit seemt an eternity, the clock chimed hauf eleeven, an the bold pair rase an creepit doon the timmer stairs, missin the step wi the creak, flittit ben the lobby like ghaists, liftit the sneck on the door cannie, cannie, cannie sae as it wadna skreich, syne steppit oot inno the pitmirk cauld o a Mairtinmas nicht.

The meen wis skweejee, like an auld wummin's mou caad cruikit wi the palsy, as the twa lassies creepit roon the ferm steadins, opened the door o the barn, an sclimmed the stoory timmer stairs o the barn in the derk. Benjy the dug liftit his heid frae his paws an glowered at them, giein a bittie o a bowf an waggin his muckle tail.

'Wheesht Benjy! Lie doon min!' quo Minnie in a fusper, an the blaik an fite collie's lugs gaed doon at bein raged like yon fur naething, an he sattled doon wi his snoot in his muckle paws. Minnie stood up on a sack o corn, an helpit Isie tae swing up in the spars o the reef, far sackin an strae rapes war keepit, an follaed her up there. Baith o them crawled inno a sack apiece, an cooried deep inno the faulds o't, wi anely their twa wee nebs peekin oot fur air.

It wisna a meenit ower seen, fur the door o the chaumer clashed tee, jist alang frae the barn. Tackety buits clattered ben the close, syne stoppit at the barn door, an up the stairs tae the laft cam Jock Dow, wi the heid horseman frae Northies, Attie Cooper, and Dod Mathieson, Steenhillock's bailie, hard at his dowp. They war cairryin lamps an sat them doon in a neuk, while Jock Dow set up the makk-shift altar fur the nicht's proceedins, a bushel pressed hard doon on a sack o corn, wi its boddom uppermaist.

Jock Dow wis cairryin a bunnle. Fin he unrowed it oot fell a calfskin, clartit wi phosphorus that gart it glow green an oorie like a fireflaucht. Neist he drew ooto the pyoke the stump o a calfie's shank, frae horned hoof tae the knee. Bi this, the twa quines jeloused that it wis Jock fa wad be maister o ceremonies, at the initiation o the halflins inno the Britherhood o Horsemen.

Nae seener hid Jock slung the skin roon his shooders, than there war three lood raps on the barn door doonstairs. The twa quines cooriet doon in their stoory hideyhole, at a soon as if a horse wis pawin the door wi its fit, an a lood whinny. Except there wis nae horse there, as Isie cud see fin she keekt throwe a chink in the waa oot intae the nicht through the meenlicht. The 'horse' wis Donald Chalmers frae Dunracht wi Sanny Cruikshank frae Kilrogie Mains takkin up the rear, pittin blinfauls roon the een o seeven halflins.

'Fa's doon there?' fuspered Minnie.

Isie screwed up her een.

'Jist twa frae Steenhillock – Alec an Ned Mathieson. Bit there's three loons frae the Mains o Kilrogie – Willie an Jimmy Peerie, an Wattie Esson, him wi the muckle lugs, an twa frae the craft o Rashknockerty, Digger an Euan MacPhee.'

Minnie addit silently in her heid.

'Thirteen aathegither, then, coontin the made Horsemen.'

'Ay' replied Isie. 'Noo wheesht fur the love o God, Minnie, or Jock Dow'll finn us an God kens fit he'll dee.'

Jock Dow, wi the deid calf's skin wrapped roon him, eerie green in the derk, gaed doon the barn stairs tae lat them in.

'Fa's cometh? In the name o the Wird spikk yer name!'

'A brither.'

'A brither o fit?'

'O Horsemasonry.'

'Fa bad ye come here?'

'The Divil.'

'Fit wye did ye come? The crooked wye or the straucht wye o the path?'

'Bi the hooks an crooks o the road.'

'In fit licht did ye come?'

'Bi the stars an licht o the meen.'

Donald Chalmers an Sanny Cruikshank proddit their chairges forrit, guidin them up the stairs, Alec Mathieson hyterin as he gaed, near trippin ower a besom richt unner the reef beams far Minnie an Isie war hidin. Minnie cud jist hear Ned fusper tae Alec:

'Dinna write onything, even if they tell ye tae dee't, or it'll be waur fur ye.'

Jock Dow tuik the fuskey, the breid an the caunle frae ilkie loon in turn, garrin the halflins come up tae the altar an kneel in a circle roon him on the stoory fleer o the laft. Ilkie een hid his left fit bare an his left haun raised abeen him.

'Fat are ye needin maist?' he speired.

'Mair licht,' they sang oot.

He telt them syne, that the name o the verra first horseman wis Cain, an the magic wirds that cud reist a horse or cherm a wummin. Minnie an Isie raxxed their lugs, an managed, jist, tae catch them: '*Baith in een.*'

Syne, Jock Dow spakk looder, an the twa cousins didna hae tae strain their lugs, fur they heard him clear's ye like, repeat the Horseman's fearsome aith:

'Haud up her haun an say efter me:'

Jock Dow cried oot, garrin them say the Horseman's aith, stoppin at ilkie line sae the halflins micht chant it efter him:

'I, o ma ain free will and accord
Solemnly vow an sweir
Afore God an aa these witnesses
That I will heal, conceal and niver reveal
Ony pairt o the true Horsemanship
That I am aboot tae receive at this time.

Furthermair, I solemnly vow an sweir
That I will neither write it nor indite it
Cut it nor carve it on wid or steen
Nor yet on onything moveable or immoveable
Aneth the canopy o Heiven
Nor yet sae much as raise a finger in the air
Tae neen bit a Horseman.

Furthermair, I vow and sweir
That I will niver gie it
Nor see it gien
Tae a tradesman o ony kind
Except tae a blacksmith
Or a farrier
Or a horse-sodjer.

Futhermair, I will niver gie it
Nor see it gien
Tae a fairmer or fairmer's loon
Unless he be working his ain
Or his faither's horses.

Furthermair, I will niver gie it
Nor see it gien
Tae a feel or a madman
Nor tae ma faither nor mither
Sister nor brither
Nor tae ony weeminkind.

Furthermair, I will never gie it
Nor see it gien
Tae my wife nor dochter
Nor yet tae the verra dearest
Iver lay bi my side.

Furthermair, I will niver gie it
Nor see it gien
Tae onybody efter sunset on Setterday nicht
Nor afore sunrise on Monday mornin.

Furthermair, I will neither abuse nor bad use
Ony man's horses wi it
And if I see a brither do so
I will tell him o his faut.

Furthermair, I will niver advise ony man tae get it
Nor disadvise ony man frae gettin it
Bit leave ilkie een
Tae his ain free will and accord.

Furthermair, I will niver gie it
Nor see it gien
Tae ony under the age o saxteen
Nor abeen the age o forty-five.

Furthermair, I will niver gie it
Nor see it gien
Unless there are three or mair
Sworn lawfu brethern present
Efter findin them tae be so
Bi tryin an examinin them.

Furthermair, I will niver refuse
Tae atten a meetin
If warned wi'in three days
Except in a case o ridin fire
Or gaun fur the doctor.

An if I fail tae keep these promises
May my flesh be torn tae pieces wi a wild horse
An my hairt cut through wi a horseman's knife
An my beens beeriet on the sans o the seashore
Far the tide ebbs and flows ilkie twenty fower oors
Sae that there be nae remembrance o me
Amangst lawfu brethern,
So help me God to keep these promises, Amen.

On hearin yon dreidfu aith, Isie's een grew wide as twa ashets. Bit a wee bit strae hid creepit up Minnie's snoot an it wis aa she cud dee nae tae sneeze, an let the bethern ken she wis hidin up abeen luggin intae their ilkie secret wird. She nippit her airm wi her ain sherp nails till she drew bluid, tae stop frae sneezin, terrifee'd Jock Dow wad finnd her oot.

Efter the loons hid sworn, the made horseman gied ilkie Brither a stick o chakk an a sclate inno their hauns, an liftit the blinfauld a thochtie sae they cud luik doon on the sclatie. In a voice that rang tae the riggin o the laft, Jock Dow sang oot

'Noo that ye hae the Wird, write it!'

An young Willie Peerie frae the Mains o Kilrogie fell inno the trap, an scrattit doon the magic wirds, *Baith in een.* Nae seener did he dae it, than Attie Cooper frae Northies liftit a cairt chyne an clattered it doon ower the back o the loon's knuckles wi sic a force that Attie skirled an grat, fur the cloor barkit the back o his neive an skinned it.

'Noo ye maun gyang tae the caff-hoose fur a shakk o Auld Hornie's haun,' Jock Dow telt them. An the halflins, cooryin thegither wi fear an cauld war herdit inno the caff hoose. Still blinfauld, een at a time, they war pushed forrit tae shakk the haun o the Deil... the cloven fit o the deid calf, held oot bi Jock Dow, an syne the blinfaulds war wheeched aff. Wi their een nae adjusted tae the licht, the first thing they saw wis a green glowin chiel, happit wi the phosphorus calf-skin. Willie Peerie feintit clean oot an hid tae be brocht roon bi a scoosh o cauld watter haived ower his face frae a sharny pail. Wi the blinfaulds aff, aa made Horsemen noo, the gaitherin treetled back tae the 'altar', far the fusky bottles war opened, an the serious business o drinkin sterted.

'I'm needin tae pee, Minnie,' quo Isie.

'Haud it in,' replied her cousin. 'I'd raither weet ma brikks than let them catch me.'

Jock Dow an Dod Mathieson frae Steenie's, an the ither five made Horsemen frae oot aboot, war grinnin like the claws o an auld haimmer, slappin the loons on the back, tellin them they war fair the billies noo. Donald Chalmers frae Dunracht telt Digger McPhee the trick tae stop a horse frae pittin its heid throwe its collar... rub it wi a soo's piddles, or the skin o a stinkin mowdie, fur a shelt hates yon abeen aathing.

Afore the manger an the greep
Tis there that I dae hing ma wheep
Atween the stable an cairtshed
Twis there a horseman I wis made.

Jock Dow telt them aa that the best horseman in Leddrach wis Kildour, fa wis heid horseman an coach driver whyles, tae the auld Warlock o Leddrach, an he telt foo Kildour drave the warlock's coach an horse ower the Leddrach Loch on ae nicht's frost wi nae as muckle's a skirp o watter touchin hoof nor mane, wi the help o Auld Hornie.

Dod Mathieson telt his twa loons, Ned an Alec, that

noo they kent the Wird, they cud stop a shelt on the road an reest it, ay, an if they'd a mind, aa they'd tae dee if they winted tae lie wi a wummin wis jist tae touch her peenie, an she wad follae them fariver they led her, an lie doon tae them wioot a myowt.

The fusky passed aroon, an wi it challenges an boasts.

'Far war ye made a Horseman, Jock? ' speired Sanny Cruikshank.

'In a Horseman's haa, far the sun niver shone
Far the win niver blew
Far the cock niver crew
In a Horseman's haa, far the sun niver shone
An the feet o a maid
Niver trod ben the dyew.'

cam Jock Dow's set repon.

Tam Davidson, three quarts bleezin afore the proceedins sterted, began tae sing:

Here's tae the horse wi the fower white feet
The chestnut tail an mane
A star on his face, an a spot on his briest
An his maister's name wis Cain.

Sworn noo, niver tae reveal their mysteries tae onybody in an apron, ither than a smith or a farrier, the drinkin grew deeper, an the sangs grew rocher:

Here's tae horn
Corn, lint an yarn
The pintle an the ploo –
Corn mills
An whisky stills
An cunts wi curly oo.

Donald Chalmers telt the halflins foo tae cure a shelt o colic, wi ile o turpentine an ground ginger made inno baas o floor or meal. Jock Dow telt them a drappie warm ale wi sweet spirits o nitre an a wee sup laudanum wis better. Dod Mathieson telt them aa o a champion stallion he'd haen the groomin o at his last fee, caad Dick, fa'd sired 5,000 foals in his 22 years. At his heicht, this winnerfu beast cud serve a meer ilkie twa oors day an nicht at £60 a time in the breedin season, sic a valuable beast that the fermer fed him on raw eggs an gallons o milk, wirth £5,000 guineas a horse like yon, mair money than ye cud imagine, an wirth ivery penny.

Up until noo, aa that Minnie hid kent aboot shelts wis that 'Hup' meant stert an 'whoa' meant stop, bit ower the neist twa, three oors, she larned a deil mair nor yon, that nae quine's lugs hid iver heard afore. Bi then, tho, Wattie Esson's face wis chakk white, wi pain, excitement, fleg, an a bellyfu o chaip fusky he'd niver tasted afore that nicht. He keeled ower wi a dunt an hit the fleer.

'Ay weel, we've aa an early stert,' quo Jock Dow, laith tae stopper the fuskey.

'Nae wirth whyle lowsin wir pynts, will jist hae tae pit wir buits straicht back on,' quo the horsemen frae Dunracht.

Een bi een, fu an happy, the horsemen clattered oot intae the wee sma oors o a cauld November mornin, tae hyter hame wi a thick heid, aa bit Jock Dow, fur his bed lay hard by the barn, in Steenhillock's chaumer. He luikit a lang meenit, wyin up wis it wirth pyin Meg, his sweethairt, a veesit, wi his maister awa frae hame, bit thinkin better o't, he turned in. If Isie Menzies catched them he kent she'd clype, tho she'd makk fine tummlin hersel he jaloused in anither year or twa, fur he'd heard she wis easy trysted awa bi the loons eenoo. She wad lead her fowk a richt fine daunce fin her breists war a thochtie fuller.

'Thank God fur thon,' sighed Isie. 'If Jock hid gane inno the hoose, we'd niver hae slippit back in wioot him kennin we'd bin oot.'

'If Jock hid gane inno the hoose, my Da wad hae thrashed an sacked him, ay, an Meg Ramsay tee, fur a fool vratch,' quo Minnie piously.

'Yer Da micht hae tried,' quo Isie. 'Bit my money wad be on Jock fur winnin the argyment.'

An wheechin up her skirts, she stoored lang inno the neuk o the frostit steadin, afore tiptoein efter Minnie inno the hoose.

Bit Minnie niver sleepit a wink yon nicht efter thon, fur finiver she closed her een, aa she cud see wis the great, green glowin shape o Jock Dow, transmogrifee'd inno the Horseman's link wi the Deil. An she mindit, syne, o the pages frae Matty's schulebuiks she aften read, tho she wisna a loon an didna warrant a fancy education. She thocht on Epona, the Great Meer, the Goddess o Horsemen worshipped throweoot the hale o the auncient warld, bi Celt an Roman alike, an she thocht on Pegasus, fite, wi his muckle wings, an she thocht on unicorns wi their magic horns that steppit throwe men's dreams. Deil the sleep cud she win that nicht fur the whinny o Centaurs an watter kelpies an even she thocht on the great Win Horse o the East that rade the lift, that the Buddhists spak o.

Bit maist o aa, she thocht on the Sheltie Steen in the wids that rase frae the back o Kilrogie Schule, an the queer auld carl that sat astride the back o the auncient shelt, an winnert if like Jock Dow, he wis sib tae the

Deil, wi the pouer o Grip an Wird ower shelts an weemin. An syne she grippit her dallie Betsy till her an grat fur rage an vexation that niver in the hale o her life micht she jyne the Britherhood o Horseman, fur weeminfowk war barred. Oh, thon wis coorse tae thole, fur she likit her faither's shelts better nor ony o them! She likit her faither's shelts better even than Jock Dow or faither himsel, yet she daurna let dab that she kent the Wird, nor spikk it, or she wad be torn limb bi limb bi wild horses, an her hairt cuttit oot wi a knife, an her beens left oot on the shore fur the sea tae shift. An on yon happy thocht twa oors afore mornin milkin, she steekit her weary een an fell asleep.

Hogmanay

It wis the eve o Hogmanay. It wis Winter an it wis the Sabbath, an Minnie Bruce hid chilblains on her feet, an chapped fingers. Forbye, it wis aa her ain wyte. Fin the first storms blew in ower the Knowe o Leddrach, she hidna packit her schule buits wi hey tae line an warm them. Mairower, she hidna telt her ma that her buits war leakin, because she likit her buits an wis feart that her ma wad gar her weir an auld pair till the weather cleared eneuch fur the Bruces tae win tae the soutar ower at Dunracht tae get her new eens. She hid tried tae warm her chilblains on the steen pig in her bed at nicht, bit the heat gart them dirl an itch aa the mair.

In coorse weather like this, the fee'd men cleared the road sae the milk cairt cud fecht its wye throwe the drifts an makk the skyty journey echt mile inno the toon tae her Granda's dairy. Except it wisna Granda's dairy onymair, it wis Granny's, because Granda Bruce hid dee'd a pucklie months ago an hid flitted ooto his hoose in Dessloch Place tae a lair in the neuk o the Machar Kirk. Minnie's fowk had bin ower taen up reddin up her granfaither's affairs tae worry their heids wi the sma maitter o buits. It wis ower late noo tae tell her Ma that her buits war leakin, snaa hid bin dingin doon in blin drift fur days. It wad takk oors tae fecht throwe the fite sottar tae the soutar's. Ma wad gie her short shrift onywye, it wis aa her ain pride that caused the chilblains, she kent that.

The chapped hauns war doon tae pride anaa. Twice a day, mornin an nicht, Minnie wis auld eneuch noo at twal year auld tae help wi the milkin ower in the dairy – thirty reid Ayrshire coos in the herd and her favourite Jersey coo, Patty. Patty wis the colour o meltin toffee. It wis Patty's thick creamy milk that the Bruces used fur thirsels. The Ayrshire milk tho, wis gweed eneuch fur the toonsers fa wadna ken ony better. Afore a coo wis milkit, ye hid tae wash its teets wi warm watter, tae dicht awa ony skirps o sharn or fool strae – fur the beasts war keepit in the byre aa winter, an muckit oot bi the baillie as pairt o his darg – bit likewise, the warm watter wis tae gar the coo think its calfie wis sooklin it wi its sappy hett mou, sae the coo wad lat doon its milk. Minnie's hauns war steepit in the watter sax times, mornin an nicht, fur she hid chairge o six milkin coos – a lang business, haun-milkin. It cud takk twinty meenits tae strip a coo o milk, tho they kent Minnie an trusted her, sae it wis quicker wi her. Nor wis thon the eyn o't. The milk hid tae be be stored in pails an cans an basins in the milkhoose, afore Minnie warssled her wye throwe the snaa back tae the fermhoose – usually withoot pittin on her mochles on her hauns – tae colleck her slate an piece an chakk gin it wis a wikkday, fur the sledge hurl ower the parks tae the schule at Leddrach.

At Kilrogie schule the bairns hid bin makkin slidies o sliddery ice, an biggin snaamannies an haein snaabaa fechts amangst thirsels fin the schule wisna closed bi the weather. Tho Minnie wore her mochles tae the schule, the worsit wis seen weety an stervin wi the snaa, an bi the time she cam hame throwe the parks, the wivven fingers o them war pirled wi ice, an the hauns inside them war chapped an hackit an stoonin wi sairs an ragnails.

The day, tho, she wadna be alloued tae plyter aboot in the snaa. It wis the Sabbath, an Minnie's fowk war riggin fur the fower mile haik tae the kirk. Nae maitter foo coorse the weather they maun makk the journey, fur her faither, Matthew, wis precentor, an the fowk cudna sing a note wioot him. Neist tae the meenister an the beadle, Minnie's Da wis the maist important body there. Yestreen, he'd pu'd Minnie's sledge tae the smiddy ahin Prince, the horse, sae the smith cud fit the muckle shelt wi iron sheen, an sherpen them wi spikes haimmered inno ilkie hole tae grip the ice an save the breet frae skytin. Minnie's da ained five horse, aa wi their ain wyes an naturs, aa wi their ain histories – Prince, Tibby, Fauldie, Jimmy, Nancy, an her ain horse, Daisy. Da hid gien her Daisy on her saxth birthday, they hid grown thegither. Fin Daisy'd bin aa legs an lowp, sae hid Minnie. She lued Daisy near as muckle's she lued her Da; faith, she'd hae bin hard caad tae chuse atween them if push cam tae shove,

Minnie didna care muckle fur the smith. Fin he booed ower Prince's hoof she hatit tae watch him chappin in the nails, tho she kent it didna hurt. The smith's face lichtit up wi the fire fin he blew the flames inno a roarin lowe wi the bellas. His physog wis lined an swyty an blaik wi seet an styew, like the Deil micht luik, if iver the Deil steppit ooto the pages o the Haly Buik.

This mornin her bedroom windae up in the attic wis glittery an fite wi frost. Minnie hatit risin on frosty mornins, pittin her hett taes frae aneth the cosie sheets ontae the steen caul linoleum, ruggin on her claes tae stop her teeth frae chitterin, gettin eesed again tae the scrat o the roch knittit knickers that ma hid wuvven fur her ooto a hank o grey oo, seein her breath hing afore her in fite clouds. On sic a day her snoot cairriet a permament dreep an her lugs war like twa pink shells that hid bin nippit bi a labster. She blew hard on the windae, bit thon jist saftened the frost inside them the smaaest thochtie. Faith, there wis even icicles hingin frae the windae-frames, wee eens, the size o bittocks o brukken spunks. She tuik her hard wee nails an ruggit them doon the ice. Thon gart it shift, eneuch tae see oot ower the parks. Winter hid tichtened his grip throwe the nicht. He wis aawye, a king in his kingdom.

Nae a breath o win wis steerin ootbye. The ruts o the cattle coort war shmoodery wi skiffins o snaa, the dry girse, the colour o torn broon paper, powkit throwe the snaa, like horse hair throwe the holes in an auld, burst leather cheer. Rose hips at the fit o the kailyaird war reid as the robin's breistie, an ower the washin green, the snaa hid laid a saft fite bowster, that wis criss-crossed bi the merks o tackety buits, an the wee pronged tridents o birdies' feet. Ower bi the gean in a neuk o the girse wis the preints o Benjy's paws, an the yalla cercle roon the claes pole far he'd pee'd fin he'd left the hoose this mornin wi Minnie's Da, tae check on the horse in the stable.

Ilkie biggin an steadin fur miles wis thackit wi snaa, an the tail o ilkie slate reef hid a fringe o icicles, dreepin. The yalla sun gart the hyne-aff Leddrach dam shine like mither o pearl, far the fite swans chittered atween the floes o ice. The hairt o the grun wis like iron. In the Spring, the grun clung tae yer fit fin ye trod ower it. In Winter, it threw ye aff. Bit Winter or nae, the Sabbath wis the Sabbath, an doonstairs, her ma wis cryin on her.

'Minnie, yer parritch is oot. Ye'd better be up an riggit, we'll be leavin early the day tae be sure tae win throwe the snaa in time fur the kirk!'

Doon the stairs she ran, tae the warmth o the kitchie. Meg Ramsay wis ower at the sink parin tatties fur dennertime soup. Da wis feedin the gowd chyne o his hunter watch throwe the eelits o his westcoat. His buits war shinin like sharn; ye cud see yer face in them; the sapples o soap war still weet aneth his lugs, far he'd razored awa his stibble, an his mowser wis washed an caimed as gran as a provost's. Her ma wis preenin a wide, feathery hat ontae her thick blaik hair. Sally Bruce hid a tweed cape buttoned roon her neck, an a thick worsit scarf wi matchin mochles. She wis a bonnie wummin, the mistress o Steenhillock, stoot kind, bit cairriet it weel. Hingin doon frae her collar wis a jabot o fite lace, preened bi a mauve Cairngorm she'd gotten frae her fowk at Migvree fin she'd left her hame tae merry an bide wi Steenhillock. She wis coontin the cheenge frae her purse, tae makk siccar she'd mair nor eneuch tae pit in the plate the elder wad haund roon inbye the kirk.

Matty, Minnie's brither, wis riggit in lang hose tucked in aneth his knee-length breeks, an a thick tweed cap ruggit doon ower his lugs. His galluses wadna bide buttoned, an his mither wis ficherin wi them.

'Sup yer parritch,Minnie, yer aye ahin like the coo's ae tail,' her mither raged. Bit her Da winked at her frae ahin her Ma's back, an wyted wi the quinie while she teemed her platie, an helpit her up inno the governess car fin they won ootside. Tibby wis hitched tae the blaik, springy car, stampin an snocherin an tossin her lang blaik mane. Minnie's Da gaed roon tae hae a wird wi her.

'Whoa lass, bonnie lass, wheeshtie wheeshtie noo,' he said, smeethin doon Tib's flarin nostrils. 'Ye'll get a feed o aits fin the kirk's skailed, an a fine rub doon in the stable. A bittie less temper an a bittie mair peace.'

'God-sakes,' mummelt Minnie's ma tae her twa hauf-grown bairns, 'Yer Da should hae merriet a shelt. He's hauf-shelt as it is. I sweir he spenns mair time in the stable than he dis in the hoose. He's mair conserned aboot Tib bein cauld than us. An it's dashed weel stervin in this car, sae it is!'

Bit noo Tib wis sattled in harness, an doon the road they gaed past the peat shed an the byre, birrin on past the stable, the chaumer, the neep shed, an Jock Dow's chaumer, on the wye tae the kirk, the wheels o the governess car leavin sheeny tracks o ice on the skyty brae.

The wids that cercled her faither's parks war like burgundy, wine-broon an bare, in the deid-thraa o Winter. A robin wheepelt oot tae them frae the tap o a rukk. The brummil buss at the road eyn wis like barbit-weer, the deid brummils war wee hard pirls o blaik, like rubbit's drappins. As they trotted atween the drifts o icy snaa, a craa on a gean branch abeen them opened an shut its dowp feathers like a leddy clickin her fan, an craiked efter them hairse wi cauld. The sheughs bi the road war rinnin fu o blaik bree.

Minnie teetit at the burn ower the side o the governess car, watchin a branch trail its fingers inno the watter. Lang patterns o lirks an swirls o blaik an fite ran far the sun catched the wattery treelips o snaa bree, garrin them shine in the yalla, blearie sun. There wad be nae skatin at the Leddrach dam this year ooto respect fur the Troot Wallie cottars, fa's dother Jessie hid drooned hersel there last Yule, raither than hae the bairn she wis cairryin. Fa the faither wis, anely himsel an Jessie kent, fur she tuik their secrets wi her tae the grave.

'Watter christened her, an watter kistit her,' Minnie's Ma hid said.

'Fur the lips o a fremmit wummin drap as hinney frae the caim, an her mou is smeether than ile... bit her eyn is wersh as wirmwid, sherp as a twa-edged sword. Her feet gyang doon tae Daith, her steps takk haud o Hell,' Minnie's da hid said, quotin frae Proverbs, fur he hid taen it as a personal affront tae himsel an his poseetion as an office-bearer in the kirk that een o his maids hid gotten hersel bairned on his ferm, like as no wi een o his fee'd men. Tho Jessie Mathieson hid brukken the commandments, as weak as Eve afore her, Steenhillock ooto thocht fur her faither Dod, an scunner o the Dam itsel, hid banned Minnie fae settin fit within a hunner yairds o't.

The governess car wis doon on the main road noo, bit the main road wis a thin cleared path atween waas o glimmerin snaa. Tibby's sherpened hooves tho, held firm on the skyty ice. The snaa hid stoppit, the kirk wis reached. The Bruce faimily made ready tae step doon ooto the car an takk the wee pathie atween the heidsteens tae the kirk door, far the beadle wis ringin the summons tae prayer frae the muckle mou o the Steenhillock Pairish kirk bell. The smaaest steen in the kirkyaird wis vrocht in the shape o a hairt, an chiselled on't wis the bare twa wirds 'Wee Jaikie', a cottar's bairn fa hid dee'd o pneumonia in last year's Winter storms. Minnie chittered, tho her claes war warm. Her faimly hid gane tae the funeral, fur the cottar faimly war kirk bodies, bit the gravedigger'd opened the wrang lair, an the grun bein hard it tuik gey near an oor tae full it in again an open the richt een. Minnie kent maist o the names on the steens, fur fowk didna flit verra far langsyne fin they merriet, nae like her ma, fa belanged tae Migvree awa at the back o Beyont.

Tae Minnie's faither, Hogmanay meant little. Bit the quine kent fine that nae suner wad they win hame frae the kirk an supp their denner, than her mither wad clean the hoose frae tap tae boddom, Sabbath or nae, in honour o the New Year comin in an the Auld gaun oot. At Migvree, she telt them, they'd licht fires fur the Daith o the Auld Year, an first fit aa their friens fur a wikk an mair. Her man, Steenhillock, wadna entertain ony o yon Heilan kinno notions, they'd the whiff o the Heathen aboot them, he said. Fur aa that, he wad poor his neebors oot a seasonal dram fin they cried inbye the ferm ower the neist fyow days, nae eneuch tae senn them aff teeterlogic like some did, tho. Their beasts an their weeminfowk wadna thank ye fur sennin them hame blin fu. He hid seen ower mony byres fu o hungry beasts roarin in the staas wytin fur their maisters tae cooer a New Year debauch an wis far ower ceevilised tae add a sup fusky tae the horse troch, like some fermers did, as tho the horse wad thank ye fur't!

The kirk wis near full fin they won til't. Like the beasts in the byre, aa kent their ain staas. Minnie's faither drew oot the tunin fork frae its boxie, and gaed forrit tae staun aneth the pupit. The beadle, Gordon Watson, hirpelt up the wee steep stairs wi the great blaik Buik wi its gowd-edged leaves, an opened it up far the meenister'd merked the place wi a lang reid ribbon. Syne he hirpelt back doon again tae repeat the trip, this time wi a glaiss joog o watter an a tummler in his rheumaticky hauns fur fear the Reverend John Geddes needit some-thing tae clear his thrapple.

'I wish Mattha Bruce wadna pitch his tunes sae low,' Minnie heard Mrs Baxter, frae Lower Kilrogie girn tae her man. 'An button yer spayver, Geordie, yer a damnt affront comin inno the kirk wi yer shoppie door open.'

'Haud yer wheesht, wummin,' her man jibbit back. 'A deid bird winna drap ooto its nest. Bit I'll faisten it tae please ye. It's nae as if I'd deen't on purpose!'

Minnie keekit up at her mither tae see foo she wis takkin this excheenge. Sally Bruce's expression niver lat dab. Da wadna hae thocht it wis funny, Minnie jaloused, piously.

A smaa voice wis nae eese ava fur a precentor. Mat-thew Bruce's voice fulled the kirk, frae the baptismal font tae the lamplichts in the upstairs pews, the sort o voice that gaed roon yer hairt like a hairy wirm, sonorous, an rich, an roon. He didna ken mony tunes, bit then neither did the congregation – French, Kilmarnock, or the Auld Hunner war the favourites – mebbe a dizzen tunes at maist. The pye wis sma, bit as her da remairked, it wis 'aa the easier tae cairry hame.'

There wis a reeshle o hymn buiks, the whiff o peppermints pitten inno moos tae be sookit, a twa-three hoasts an blawn snoots, an the Rev John Geddes wheeched throwe the kirk in his blaik suit an his fite dickie collar, wi his blaik goon ower it aa like a hoodie craa. It bein near eneuch Hogmanay, he hid fand a suitable text, frae Peter Chapter 5, verse echt.

> *Be sober, takk tent, because yer enemy the Divil as a roarin lion wakketh aboot sikkin fa he micht devour.*

Sittin atween Matty an her Ma, Minnie turnt feart fur her mither, Sally. Aften, afore Steenhillock's wife turned in fur the nicht, she wad poor hersel a skirp o fusky frae the bottle wi the Fite Horsie on the front o't, a trick she'd learned at Migvree, far fusky seemed tae be the cure fur aathing. Her Da anely drank strang liquor at communion, or mebbe ae wee dram at a waddin or funeral, jist tae be sociable-like. Jock Dow, the grieve at Steenhillock, wad be teeterlogic at the bells, ay, an nae jist Hogmanay, either. Minnie myndit fin she an Isie hid heard Jock Dow roarin ooto him fin he'd pitten a young fee'd loon throwe the mystery o the Horseman's Wird, likely that wad be the Divil tryin tae chaw him, the nesty, drunken, grissly breet that he wis. Even the Divil tho wadna devour Jock Dow, unless the Divil wis byordnar hungry.

It wis a lang service, an a langer sermon, an efter the elders hid taen the wee velvet baggies o siller forrit tae be blessed, an the congregation hid bin blessed, cam the anely bit Minnie really likit in the kirk, fan the Rev John Geddes raxxed oot his blaik airms, an Da led the singin in the hinmaist blessin:

The Lord bless ye an keep ye,
The Lord makk his face tae shine upon ye
An be gracious untae ye
The Lord lift up his Coontenance upon ye
An gie ye peace.

There wis something byordnar sweet ayont aa wirds, in thon blessin. Whether it wis the tune she likit, or jist cause it wis the eyn o the service, she cudna be sure, bit she likit it byordnar weel. Noo, tho, the elders war filin oot an the pews war skailin. Oot she gaed tae the mou o the kirk, far her mither an faither war newsin in the mids o twa separate bourachies o fowk. Bi bitter experience, she kent they'd be there fur a whylie. Minnie wydit throwe the snaa atween twa graves, makkin fur a flat steen tae dowp doon on.

O a suddenty, her lug wis stung bi the fing o a snaabaa crackin aff the side o her heid. Her lug felt as if it wis on fire; it wis stoonin, dirlin, swallin. She furled roon, een bleezin, an anither snaabaa hit her full on the face this time, splittin her boddom lip. Nae ordnar snaabaa wad hae daen thon. Luikin doon, she cud see a steen in the mids o the snaabaa that struck her last. Then she heard a stooshie get up, a fecht atween twa loons; Alec Mathieson was haudin her brither Matty doon in the snaa, rubbin his snoot in it, an Matty wis skirlin ooto him like a stuck pig. Alec Mathieson wis five year aulder than Minnie, een o the Troot Wallie cottars, een o her granmither's dairymen in the toon, hame fur the Sabbath day sae his mither micht wash his sarks.

Her faither strode ower an yarked Alec affa Matty's back in a towerin rage, winnerin fit hid taen his bailie's loon tae dae sic a thing tae Matty.

'He's jist fowerteen, min, ye'll kill him. Fit's aa the stramash aboot onywye?'

The beadle, Gordon Watson, hid seen Matty pittin the steens in the snaabaas an peltin his sister Minnie wi them, an tuik great delicht in tellin the precentor.

'Is this richt, Alec?' Matthew Bruce speired the young dairyman.

Alec Mathieson noddit. Steenhillock turned tae Matty wi a face o thunner.

'We dinna wash wir fool linen in public. Get in the car noo, Matty. You tee, Minnie, yer lug 'n yer moo'll need some sma attention.'

The faimly drave hame in silence, ahin the braid blaik dowp o Tibby. Fin the shelt drew up in the ferm coort, Matthew Bruce telt his loon tae ging intae the stable afore him. Minnie kent it wadna be jist tae help rub Tibby doon an dry her oot, or gie her her feed. Faither wis lowsin his belt afore the loon won ower the stable door. The door swung tee, there wis a meenit's wheesht, an then the skelp o leather on bare flesh, nae eence, bit mony times, an the yelp o pain frae Matty as the belt wis yarkit doon on his bared erse.

Minnie's Da cam ooto the stable haulin Matty bi the lug, an flang him throwe the fermhoose gairden gate like a bun shaif.

'Did ye need tae be sae hard, Mattha?' speired his wife.

'He that spareth the rod, hateth the son. Proverbs, twinty-three,' cam the repon. 'Forbye, wummin, hae ye seen the sottar he's made o the lassie's face?'

Matty wis pit tae the stable tae meat the horse wi the grieve efter his faither cweeled doon, an efter that tae muck oot the byre wi the orra loon, fur it wis Sabbath an the cottars' day aff. In the ordnar wye, Matty wad hae bin upstairs, learnin the lessons fur hame that he'd gotten frae Strathbogie College in the toon. Bit the day, if he chose tae behave a beast, he cud bide wi them, his faither said.

Denner hid bin an unco strained affair. Sally Bruce thocht her man made far ower muckle o Minnie. Mebbe Matty hid bin some coorse, bit it wis ill tae thole seein Steenhillock pet her the wye he did, as if the cauld win shouldna blaw on her. Minnie's Ma an Da hidna spukken twa wirds tae een anither, except fur the grace:

Some hae meat an canna eat
Some wad eat, bit wint it,
Bit we hae meat an we can eat
An sae the Lord be thankit.

The broth wis cauld, the pudden wis brunt, Matty'd bin thrashed an Minnie's mou wis split an her lug wis twice its size. Apairt frae thon, aathing wis fine. Matthew Bruce teemed his puddin plate, banged it doon on the table an gaed upstairs tae cheenge ooto his Sabbath claes. The horse wad need fresh beddin, an een o them needit liniment rubbit inno a sair jynt. Sally Bruce wis swypin the stoor frae ilkie neuk wi a vengeance, near rubbin the face aff the flagsteens at the ootside door. The maid, Meg Ramsay hid born the brunt o the seen-tae-be-Hogmanay cleanin yestreen, an hid socht fur a full day aff. The sweep hid bin in an cleaned the lum a wikk syne. The New Year maun hae aathing clean an bonnie fur it, inside an oot. Minnie, tho, wis dowpit doon afore the fire, haudin a cauld cloot tae her hett lug an her fat lip, tae bring doon the swallin, watchin the flames lowp up atween the broon peats crummlin inno the aisse an smush at their reid, reid foon.

In the hinmaist oors o the auld year, Sally Bruce sat Minnie doon tae spreid egg sandwiches, while she bakit scones an bannocks an biscuits fur first fitters comin. Aa the curtains hid bin cheenged, even the beds hid bin strippit an clean beddin pit on. Dumplins war biled, tae see them intae the new year fur kinsmen wad tramp roon fur days seein aa their closest friens tae hansel the year. Matthew Bruce cam back intae the hoose fin the horse war sattled, an the milkin ower an by, wi Matty at his heels, an uneasy kinno a peace atween them. The clocks hid tae be wun up, the auld granfaither clock at the fit o the stairs first ava, an the fires biggit up tae keep the cauld oot, fur the snaa wis driftin roon the waas like a cat rubbin itsel up agin a cheer wintin a dry lap tae sit on.

Afore they kent, sae eident they'd aa bin, the Auld Year'd gien wye tae the New, an Jock Dow the grieve wis chappin at their door wi a bottle – a reid-heidit chiel, their first fit. Nae lucky, bit fit cud ye dee? Turn him awa on sic a nicht as yon? Sae in he cam, wi a kirn o cottar bairns at his tail, singin their yearly pairty piece:

Rise up, gweed wife, an shakk yer feathers,
Dinna think that we are beggars,
We're anely bairnies cam tae play,
Rise up an gie's oor Hogmanay.
The nicht's cauld, oor claes are thin,
Gie's a piece an let us rin!

Minnie's fowk tuik the bairns in aboot tae the fire tae gie them a heat, an a tangie, an a drink o rose-hip jeely, an tae dry oot their weet mochles afore Jock Dow led them aff like the Pied Piper tae the neist hoose.

'It's easy kent he's nane o his ain,' Matthew Bruce said as he tuckit his wife aneth his oxter. 'Or he wadna be sae keen tae shepherd aa ither bodies' bairns. An I dinna suppose it wad hae onything tae dee wi the fack that fowk'll aye open their door tae a bairn. They michtna be sae keen tae let Jock ower their porch his lane wi a drooth like his.'

Neither Minnie nor Matty war lat oot tae sing roon their doors, sae Hogmanay feenished seen efter fur them. Sally Bruce gied her loon his first dram, fin his faither's back wis turned, an Minnie got a hett milk drink an a steen pig tae takk tae bed wi her. Afore she knelt doon in her goon on the cauld fleer tae say her prayers she tuckit her dallie Betsy inno her bed, an creepit ower tae the windae tae look oot ower the parks an the starny lift. It wis a peety Jock Dow hid bin their first fit o the Year, tho Da hid lauched an telt her ma it wis aa superstitious styte. The snaa wis dingin on rale faist an saft noo, wi flakes the size o peppermints, the lug o the nicht takkin tent o the littlin's prayer:

> Noo I lay me doon tae sleep
> I pray the Lord my sowl tae keep
> If I should dee afore I wakk
> I pray the Lord my sowl tae takk
> *May Thine be the Pouer an the Glory*
> *Foriver an iver an iver*
> Amen

Fur some reason it wis affa important tae Minnie tae say three forivers, like it made it three times as likely the Lord wad takk tent o fit she wis sayin tae Him. She winnert far the Lord tuik fowk that dee't, like Jessie Mathieson, puir glekit Jessie, fas place in the kirkpew as yet hid nae bin fullt.

Daith in a Cauld Kintra

'Teem the strang frae the chuntie ower the rhubarb, Meg,' Jow Dow cried oot. 'It'll gar it growe wi a vengeance.'

'Ony sign o the doctor's gig?' speired the skiffie, as she raxxed ower the washin green, tae cowp the derk yalla piddles ower the neuk far the young rhubarb lay curled up aneth the yird.

Gaun roon tae the hen's sheddies, Minnie Bruce set doon the hen's pail, her hairt thuddin, her lugs cockit, at the mention o the doctor.

'Ay, I saw it draw inby Northies fin I wis cairtin sticks frae the Fir Widdie. Dr Henderson'll veesit the maister neist. He winna be keepit lang at Northies, the fermwife's due tae bairn, bit she's drappit sax already; they maun ken the road oot noo bi hairt. Faith, they say her man's niver aff the heid o her, nae winner she's bowdieleggit. He jist his tae tweak his galluses an she lies doon. It's a winner she's time tae set the fire in the mornin, let aleen kinnle it.'

As Meg tipped the stank ower the flooers, the grieve sang oot wi a roar:

'Rise an teem the pail, Belle,
Rise an teem the pail.
Rise an teem the pail, Belle,
Or I'll hae tae dee't masel.'

Minnie hid passed Meg nae twa meenits syne, preenin the washin tae the towes strung frae three neuks o the gairden. The crookit airm o the rodden wis the soothmaist pole, a nail on the reef o the cairtshed aside the green wis the norlan pole, the bough o the aik that merkit the green aff frae the kailyaird wis the eastern merker. The maid's thick airms raxxed up abeen her heid, fechtin agin the win wi a weet sheet. Her hauns war rubbit reid raw frae bein steepit in the wash. She hid bin up sin the back o five lichtin the fires an makkin the fee'd men's meat. Steenhillock hid catched a chill in the stable three wikks back, an much o the tcyauve o luikin efter her invalid maister fell on her twa braid shooders. She maun hae laid the washin doon fur a meenit, an nippit intae the fermhoose tae teem the reamin chuntie that sat aneth the fermer's bed afore the doctor's veesit.

The quine devauled a whylie, tae lug-in tae fit the grieve wad say neist. She daurna stop the doctor fin he drave his gig up the road tae speir foo ill her faither wis. Her Ma, or her brither Matty hid mair richt than her tae speir onything, bit he wis awa aa day at Strathbogie College in the toon, gaitherin lear o a different kyn. She micht be her faither's favourite, bit it did her nae gweed service wi the lave o the family. Fin her faither wis weel an gaun aboot, he culdna thole the cauld win tae blaw on her. Fin it wis dennertime, Steenhillock wad scrape the tastiest bitties o beef frae his plate ontae hers, touzle her heid, an wink, an tell her 'stick in till ye stick oot.'

Matty, her brither, hid gotten buiks fur his birthday, an new schule claes. He wad raither hae gotten a shelt like Daisy, that his Da hid bocht fur Minnie, Daisy wi heich steppin hooves an a blaik star on her broo, an a tail that sweeshed like a wheep. Mebbe their faither felt sorry fur Minnie, fur she wis fully as gleg as Matty on the uptakk, bit tae spenn siller on a quine's education wad hae bin conseedered a waste bi the fowk o the pairish. Bit a dallie, a horsie, a zither, this he cud an did gie, wi muckle luv forbye, leavin little ower in the wye o affection fur her dour, sarcastic brither.

Jock Dow hid bin up sin five in the mornin, as early as Meg hersel. It wis his job tae knock up the fee'd men on his wye tae the stable, far he unlockit the corn kist wi the key entrusted tae him bi Steenhillock, tae scowp oot the feed inno ilkie shelt's bag. It wis Jock Dow fa gied the men their orders o a mornin, fa saw till it that they cleaned oot the strae frae the stable, groomed their horse an forked in their hey. It wis Jock Dow fa cried 'Bridle' tae set them tae wirk, fa gart them lowse fur a brakk at echt o clock tae sup tay frae their wee tin flasks wi their stoppers corkit wi broon paper. It wis Jock Dow fa set them tae wirk again till dennertime, fin the horses nott twa oors tae feed, giein the men time tae sort their hey an feed fur nicht. Ay, an fa else wis it bit Jock fa strode ben the byre at milkin time, mornin an nicht, an made sure that the milk cairt wis loadit wi full cans fur the echt mile ride tae the toon? Faith, fit wad they hae daen withoot Jock this last fyow wikks, at the big toon dairy far his maister's mither bedd in her fine braw hoose, in her widda's weeds, wi her twa unmerriet dothers.

Ilkie day that Steenhillock lay seik, Jock's pouer grew mair an mair. A ferm wis like a ship; it needit a captain, an wi Matty Bruce hauf-grown, and his mither still weel-tae-seen, the grieve wis wytin his chaunce till Steenhillock dee'd o the fever draggin him doon. Because o his maister's seikness, there hid bin nae cheenge o men at the feein mairket on muckle Friday, fan the ferm loons tuik their arles an the offer o sax months work, fan the colour serjeants frae the Gordons trystit the loons frae their clorty parks tae jyne the regiment.

Sally Bruce hid gane roon aa the cottars in turn, priggin wi them tae bide wi offers o mair neeps an coal, bit it wis tae the chaumer door, far Jock Dow bothied, that she'd cam first, tae sikk fur help. He wis flattered, bit he wisnae a feel, either. They war baith o an age, an Jock wis still unmerriet. Like the stallion that gaed roon the ferms servin the meers, he hid niver bin short o female company, an ower the years, he'd covert puckles o shearers and skiffies fa'd come and gane on the ferms he'd wirked on. Whyles, they'd gane wi mair than they bargained fur. *Baith in een*: he kent the horseman's wird, an cud command baith shelt an wummin fin the humour tuik him. Nae that he wished his maister ill, bit a bodie makks o life fit he can, an Jock wis fair gleg on the uptakk.

Minnie Bruce heard the tail eyn o the sang, an heard Prince nicher and strikk the steeny road wi his muckle hooves. The grieve maun hae harnessed him an led him forrit fur Dandy the orra loon tae cairt cinders oot ontae the road. The road wis fair scartit wi ruts far the snaa bree rinnin in the Spring thaws hid torn the tapsoil awa, like bits o flesh riven affo a deid hare bi a hungert craa. Syne she heard the skiffie passin on some claik she'd pickit up in the ferm kitchie.

'It's nae gweed news aboot Steenhillock. He sud niver hae spent aa nicht in the stable wi thon new horse that turned sae seik, nae an him wi a hoast on him afore he gaed oot, an a weak chest onywye. I'd a brither fa tuik stots an sterts o bronchitis, bit efter a fortnicht he aye shook it aff. It's three wikks noo as ye ken, Jock, the maister's bin beddit, an he's nae makkin muckle o't. In fack, he's turned far waur these hinmaist twa three days. Yon's fit wye Doctor Henderson's bin cried in. It's lang by the stage o curin the maister bi steamin him an haudin on the toddy. Fin I gaed in wi a joog o fresh watter this mornin, he complained o a pain in his breist. I helpit the mistress tae lift his heid affo the bowster, an he whizzled an whizzled tryin tae catch his braith, an pyochered an spat inno the spittoon. The spit wis streakit wi bluid, Jock. Fin we laid him back doon, he peched an peched like a dug fin it's chased a rubbit. An the swat rins aff him like watter!'

'Mistress Bruce is spongin him nicht an day tae bring doon the fever, bit I dinna like the colour o him, nae ava. He's grey, Jock, grey as a steen, shakkin sae hard it's a winner his hair disna faa frae its verra reets. I niver saw a body shakk like yon. Mrs Dunlop doon at the Fir Widdie wis a nurse in the toon. She caad it 'rigors', and it's coorse tae watch. Sae I can thole teemin the peer breet's chuntie, if it leaves the mistress free tae nurse him in ither wyes.'

Minnie's mither, Sally Bruce, aye gied the orra wirk tae the maid. 'Nae pynt in haein a dog an barkin yersel,' she'd say, tho she tuik her turn at the milkin wi the lave, an did aa the bakin, butter makkin, jam makkin an cheese makkin aboot the place. Likewise in the byre she tuik tent o the newborn calfies, learnin them tae sook frae the coggie insteid o their mithers' teets. These last three wikks tho, she'd bin unco hard caad rinnin efter her ailin man.

Steenhillock hid jeeled himsel tae the been at the heicht o a blizzard in the tail eyn o Februar, oot aa nicht in the stable nursin a new-bocht meer that dee'd, in spite o aa his care an aa his trauchle. Noo his wife wis nursin him, up an doon the stairs near weirin them oot, ilkie time Matthew Bruce gied as muckle's a myowt. She hid steamed him, tried tae tempt him tae ett wi sweet saps, or drog him wi toddy, bit aye the hoast, hoast, hoast, grew rocher an deeper, till the beens that showed at the neck o his sark powkit throwe the skin, as the tide o health creepit oot, an something derker creepit in aboot. Noo its shaddas sat in the sunken howes o his chikks, in the gorblie's blaeness o his lang, scrawny thrapple far the glut gaithered an rochled doon in his chest.

The fermer o Steenhillock wis fifty-three year auld an deein, wi Matty his heir jist a hauf-grown loon at Strathbogie College in the toon, a hauf-grown loon that hatit the ferm an the beasts, the plowter o dubs an the coorse uncertainties o the North East sizzens. Fifty-three year auld an deein, wi a wife that wis forty bit cud pass fur thirty withoot ony trouble ava, that cud still gar a man's heid turn an sikk tae follae. Nae easy, nae easy, tae leave sic a wife aleen in a teem merriage bed. Fur he lued her as weel as he hid on the first day he met her, steppin oot frae her cousin's door in the toon tae buy milk frae his faither's milkcairt.

He wis a queer mixture, richt eneuch, Minnie's faither. On the Sabbath, he stude in the kirk in his best claes, precentor fur the pairish, an nae a sowel cud sing till he struck the tunin fork an led them, his voice as sweet an low as a cushie doo. He hid gien Minnie her horsie, Daisy; her dallie, Betsy, tee, fin she wis five. In the seeven year sinsyne, Betsy gaed awye wi Minnie, tuckit inno the belt o her skirt, her comforter an frien, fur she wisna alloued tae play wi the cottar bairns that cam an gaed wi the sizzens, that wadna be richt an fittin. The young quine ruggit her dallie ooto her skirt band, an pattit her yalla cloot heid.

'Da winna dee, Betsy. It's aa lees they're sayin. Granda Bruce anely deed five month syne, an he wis seevinty-sax, an auld bodach wi a fite mowser that needit a stick tae wakk. An Da's mowser's broon, Betsy, wi jist a twa, three fite hairs throwe it. Forbye, fa'd rin the ferm an ging tae the mart on a Friday, if Da dee't? An fa'd lead the singin at Steenhillock Pairish kirk on a Sabbath? Naebody sings as weel as Da, Betsy. An he hisna learnt me tae play the zither he gied me, yet, Betsy, an he promised he wad, ye ken.'

An she shook Betsy sae hard, the wee clootie dallie noddit its heid as if tae agree. Fur a meenit, the bairn thocht on the bonnie zither that bed on tap o the press in her wee attic bedroom. Blaik varnished it wis, wi braw inlaid mither-o-pearl flooeries on it, and wee gowd furliorums peintit ower its face. She cud anely strum the strings o't as yet – Da wis wytin till she wis aulder till he showed her foo tae play it. Aa the wye frae Russia, he'd brocht it, fin he wis a young chiel on his first sea voyage as ship's engineer on the Blue Star Line.

Granda Bruce hid faithered fower loons an twa quines in his lang merriage. Uncle Peter fermed Kilbog, ower Dunracht wye. Uncle Jim fermed Widside at the skirts o the growin toon. Uncle Dougal mainaged a rubber plantation hyne awa in Kuala Lumpur in Far Malayasia, faith, puckles o his Bruce cousins war skittered aa ower Malaysia an Ceylon makkin siller haun ower fist... an Minnie's Da... Minnie's Da hid bin schuled at Strathbogie College in the toon, tae be a ship's engineer an sail the muckle oceans. He hid won his engineer's ticket quick smert fur the Bruces war aa clivver, an he'd gotten a place on a ship seen efter. Bit fit naebody hid calculated on, wis the fack that young Matthew Bruce hid nae sea legs ava. Frae the time that his ship sailed ooto the herbor o Aiberdeen, inno the roch sweel o the North Sea, he'd bin near deid wi sea-seikness, peer vratch, aa roon the heel o Norway an Sweden inno the Baltic Ocean, throwe the Gulf o Finlan tae St Petersburg.

He hid bocht the zither durin the twa-three days that the boat wis in herbour, fur he aye lued music, bit nae the rhythms o the sea, fur the sea hid nane that made ony sense, its rhythms war aa its ain. His feet war destined tae wakk at the tail o the ploo at the slaw turn o the sizzens, nae tae styter an tummle like a peerie ben a weet deck in the teeth o a gurly gale. Sae dowie the voyage hid been, he'd hauf a mind tae bide in Russia raither than pit tae sea again, bit sense won ower an hame he cam, an the trip comin hame wis fully as coorse as the trip that tuik him awa.

His faither, Auld Mattha, hid tae accept the fack that he wad hae three fermin sons insteid o twa, an haik aboot fur a tenancy fur him. An that wis foo Minnie's faither sattled in Steenhillock. An fifteen year, near, till the day, he hid merriet Minnie's mither an brocht her up the steeny brae like a teuchit trystin a mate tae a cauld bield in a heich park. The zither bedd at the fit o his sea chest till Minnie wis auld eneuch tae wakk an toddle ower tae the chest an lift its lid. It wis the bonniest thing she hid iver seen, an as littlins will, she wintit it. An as dotin faithers will, he cudna refuse her, clean connached an pettit an spylt as she wis bi him in aathing.

'She'll bladd it or brakk it,' her Ma warned him.

'She winna,' her Da said. An she hidna, faith, she'd keepit it polished like a new preen, an guairdit it like a dug wi a been an wadna let naebody near it fur onything. Sae Da couldna dee, the thocht wis unthinkable, an her nae able tae play ae tune on the Russian zither. Auld Mattha Bruce wis deid, bit he'd bin ripe fur deein, foonert an fooshionless, wi gummy een an pains in his jynts, like an auld rukk turnin fooshty an rotten wi time. She stappit Betsy back inno the waist band o her skirt, an stampit aff roon the side o the byre tae the henhooses perched on the brae tae feed her feathery chairges. 'Chookie-chookie-chook-chook-chookie' she wheedelt, rattlin the dry seed in the pail. 'Chookie chookie chook chook chook.'

Bi the time she hid cowpit the last o the clockin hens aff its nest an dichtit the strae aff the hett, broon eggies tae nestle in the foon o her basket, Doctor Henderson's car hid bin an gane, an it wis dennertime.

Meg Ramsay hid fulled the ropes wi the wikk's wash, crossed her fingers that the rain that hid threatened aa day wad bide aff, an wis back at her darg in the hoose, scrapin carrots an neeps fur the muckle blaik pot ower the swey, that wis heatin ower the lowpin flames, near full tae the neck wi watter an chukken beens frae the Sabbath roast. The skiffie wis skirpin satt ower the pot fin Maisie plunkit the basket o hens' eggs doon on the kitchie table.

'Far's ma mither?' the quinie speired.

'Ower at the byre, feedin the new calfies.'

Normally, Sally Bruce wad hae bin here, makkin the dennertime broth fur the fermtoon fowk an the orra loon, Dandy, fa wakkit up frae his faither's craft ilkie day tae earn some gweed will an some neeps frae Steenhillock. In return fur Dandy's wirk, Matthew Bruce wad len the crafters his binder an ither tools an gear fin it wis nott. Young Matty Bruce wadna be hame till nicht, fin his darg wis deen at Strathbogie College, fin the dairy cairt cam back wi teem, clean cans frae the toon. The ither fee'd men war cottared on the ferm, or bedd nearhaun.

It wisna like Minnie's mither tae be ooto the hoose at dennertime. Dandy cam intae the kitchie close at Minnie's heels, humphin a creel o fresh-cuttit sticks.

'Will the broth be lang, Meg?' he speired. 'Ma stammache's beginnin tae think ma throat's bin cuttit. We're hyne ahin wi the plooin, an Jock wints tae ken fan tae lead the horse back fur their feed.'

'Hauf an oor at maist,' quo the maid. 'Fin the mistress comes ower frae the byre.'

Neither o them hid spukken twa wirds tae Minnie. Yon wis queer, tee. Usually Dandy wad hae a joke or a lauch wi her, or Meg micht gie her a bittie sclaik she'd heard frae the fishwife that trampit roon the ferms on a Wednesday. It wis like they didna ken fit tae say tae her, an there wis nae need, because Da wis gaun tae be fine noo that Dr Henderson hid cried inbye.

'I'm awa upstairs tae see ma faither,' she telt them, gaun intae the lobby an ontae the stairs, takkin the steps twa at a time wi her lang-buttoned beets. Naething cud herm her Da. The Bruces gart things happen aroon Steenhillock; things didna happen unless they planned them. An it didna fit in Minnie's plans that her Da should dee. Daith cudna be that coorse. He cud hae onybody else aboot the place He wintit, even her mither, Sally, bit nae her Da, nae him, onybody bit him. Ilkie nicht she said her prayers like her faither hid telt her – the Big Prayer noo, nae the little een, though sometimes she said them baith, stertin aff wi 'Oor Faither', an syne gaun ontae the Littlin's Prayer, 'Noo I lay me doon tae sleep...'

She stood ootbye her faither's door, an though it wisna nicht, an she wisna dressed in her goon an kneelin aside her bed, she whispered the wirds three times afore gaun in :

'Thy Will be deen on Earth as it is in Heiven...'

She smeethed doon her peenie an gaed intae the room. Da wis sleepin. She creepit ower tae the fire an powkit the crummly cinners intae a grey aisse, cannily biggin the fire up again wi kinnlers. The kinnlers war rosity, they crackit an spat an hissed. Jist as she placed the coals in a fine wee brig ower the rikk an the spittin sticks, the seik chiel hoastit. It wis quate in the room, nae a soon bit the tick o the clock on the mantlepiece, an the pech o her faither's breathin. The breathin sterted tae slaw doon, stoppit aa thegither fur hauf a meenit – sic a fleg, sic a fear thon gied her – then, jist as she made tae flee doonstairs fur help, it stertit again, faister an faister, as if his lungs war bladdit, like a blacksmith's bellas wi holes in the bag, garrin him sook the win in harder an quicker tae win ony puff ava. An syne again the breathin wad slaw tae a snail's rate, an stop o a suddenty fur anither meenit or so, afore stertin up again like a bawd racin.

Minnie hid niver met Daith afore, hid nae wye o kennin that this wis his callin caird. She lay doon aside her Da on the bed, and pit her heid on his bosie. Ae thin airm creepit oot frae the bedclaes, and gaed roon her shooders. Her faither's een flichtered open an shut a twa-three times, an he sterted tae quote Scripture at her. This wis naething new. Da wis gettin better. He aften quoted Scripture. His hale life follaed the Lord's Buik. Minnie luikit intae his face. His een war shinin.

'In my Faither's Hoose are mony Mansions. If it werena sae, I wad hae telt ye. I gyang tae prepare a place fur ye. An if I gyang tae prepare a place fur ye, I will come again, an takk ye fur Masel, that far I am, there ye will be as weel.'

Minnie wisna sure fa her faither wis spikkin till. He wis luikin ower at a photograph o his deid faither, Auld Mattha Bruce, bit it wis as if some ither body wis in the room, tho Minnie couldna jist makk oot fa it wis. Her faither's breathin foonert again, back tae the slaw pech, pech an syne the quate fin his lungs stoppit aathegither, bit again he rallied an his mou begin tae wirk, fechtin tae frame the wirds he winted tae say, tho the wirds war low an hairse.

'Fur this corruptible maun pit on incorruption, an this mortal maun pit on immortality...Corinthians, quine, chapter een, verse fiftythree. Fiftythree verses, Minnie, een fur ilkie year o yer faither's life.'

His grip on her shooder suddenly tichtened, his breathin grew faister again.

'I wint ye tae promise me Minnie, sweir tae me that ye'll luik efter yer mither an brither fin I'm awa. The three fowk dearest tae me in aa the warld bide aneth this reef, an ye're the youngest o them. Bit ye're the een I'm closest tae Minnie, an it's richt an fittin ye're here at the last. Takk care o them Minnie, takk care o them. Fur my sake, lassie. Sweir it.'

He dug his cleuks inno Minnie's airm sae sair that the skin bore the merks o his fingers. Bit afore she cud utter a myowt, her faither wis deid. As quick as a blink, frae ae warld intae the neist.

Naebody telt Minnie Bruce that her faither wis deid, nae doctor or neebor or kinsman, bit a saicunt afore there'd bin twa fowk there in the room, an noo there wis anely een, fur fit lay wi it's airm aroon her, an that scrawny airm still hett, wis bit the mortal cloots o the man that hid bin her faither. He hid steppit neatly ooto them an vanished, she kent that, jist as she kent that the fit comin up the stairs wis her mither's, back frae the byre. The door wis pushed ajee, an Sally Bruce stude in the mou o't, wi a calf's bottle teet in her haun an her face drained fite o colour. She hid gane tae the byre tae atten tae the ferm's business, an her man hid deed whyle she wis eidently feedin the calfies. He hidna even wyted tae say cheerio. Minnie hid swickit her ooto that, the last een tae see him alive in the warld o the leevin.

'Get oot,' her mither hissed at her. 'Get oot an leave yer faither an me aleen.'

Dumfounert, the lassie hytered ooto the room, leavin her mither tae greet over her deid man. Jock Dow rode ower tae Kilbog, tae takk the wird tae Peter Bruce that his brither wis deid, an Dod Mathieson rade tae Widside, tae let Minnie's Uncle Jim ken, sae that Auld Grandma Bruce cud hear the news frae a son, fur it wad hit her hard sae seen efter the daith o her ain man, Mattha. Young Matty cam hame frae Strathbogie College full o the news that he'd won a bit medal fur Latin, tae be telt that he micht jist lay by his buiks, ay, an his medal an his Latin tae, fur he wadna be needin ony o them again. He wis fowerteen year auld, o an age fin his peers war wirkin, an noo that his faither wis deid he wad hae tae wirk tee, tae keep a reef ower his mither's heid an breid on her table.

Peter Bruce's wife Mysie, an Jim's wife Nan cam ower tae help wi that nicht's milkin, fur whether or no a fermer dees his beasts maun be fed an wattered an milked, peer breets, it wisna their wyte it hid happened tho some micht argue it wis, seein's an ailin shelt hid brocht the hale thing aboot tae stert wi. It wis the first nicht sin iver that Minnie cud myne that her mither hidna teen the been caim tae her heid, tae rug the tousles ooto her lang derk hair tae check fur fear o flechs pickit up frae the cottar bairns. It wis a Setterday, sae there'd bin nae schule that day, an there wad be nae schule the morn.

Mysie Bruce frae Kilbog pit her airms roon Minnie an Matty's shooders, an led them ben tae the best room, the een luikin ootower the kailyaird, wi the Bruce's cornparks raxxin ahin it, an the scrubby bit o a knowe far the Davidsons grazed their stots, risin up ahin it. The aunts hid bin busy aa evenin, washin Minnie's faither, an dressin him in his Sabbath suit, even doon tae blaikenin his sheen afore they pit them ontae his feet. The Leddrach jyner hid aye a twa, three kists at the back o his shoppie, fur Daith wis a steady customer, an Minnie's uncle Peter hid harnessed the shelt tae the cairt, pit on the shelvin, an gane ower tae Leddrach tae choose een, a stoot aik kist. Sam Mathers the jyner wis still wirkin on the letterin fur the braisse plaque that he'd nail on the lid afore it wis haimmered doon. As the evenin wore on the best room wis shinin like a new preen, fur the cottar wives hid bin in an cleaned it, an stockit the scuttle wi coal, an the glaiss joogs wi bits o flooers, tho there wis little eneuch in the wye o flooers in April, forbye twa-three early daffs. Dr Henderson, tee, hid bin back. He micht as weel hae written the daith certficate oot the first time he come yon day, Meg Ramsay said, fur he maun hae kent that it wadna be lang or een wad be socht.

'Ye can see yer faither noo,' Aunt Mysie telt her young nephew an neice. 'Aa his tribbles are ower wi. Ye maun kiss his broo, an pye yer respecks tae the deid.'

Minnie gaed ower first, teetin ower the side o the kist tae luik doon on the face o the man fa'd begat her. His een war steekit wi twa pennies, his hauns fauldit afore him on his lap. He'd bin shaved, his hair hid bin washed an caimed. Forbyes the pennies, he micht hae bin gettin ready tae gyang tae the kirk. Dyod, he wad be gyaun tae the kirk, three days frae noo, on Tuesday neist, bit nae tae lead the singin, niver again tae lead the singin. She booed ower the side o the kist an touched his broo wi her lips, bit she didna greet. Efter aa, her faither hid telt her, he'd gane tae makk a hame fur Minnie an himsel. Ae day, he wis comin back fur her. She'd tae bide strang tae luik efter Matty, an her mither, like he'd made her promise.

Matty, tho, bubbelt an grat fin he saw his faither's corp. His fowk war gey come at that the loon should takk his faither's daith sae hard, fur they didna ken that fit Matty wis greetin fur wis his buiks, an his friens an his future, the future he'd dreamed o, that wadna be comin tae pass, nae noo, nae iver. Matty Bruce hid dreamt o bein a lawyer, a doctor, a professional chiel wi a fine hoose in the toon an letters tae his name. Insteid, he'd bin trailed back tae the clart an trauchle o the ferm, that fed an claithed an scunnered him.

Aunt Mysie pit her airms roon her neice an nephew, an pushed them ower tae their mither, fa wis slumped in a cheer at the fireside, her een swallt wi greetin.

'Takk yer twa bairns inno yer bosie, Sally, at least ye hae something tae mynd him bi.'

Uncle Peter hid poored his sister-in-law a stiff dram, the nearest thing tae medicine iver keepit in the fermhoose. It sortit aathing frae kink-hoast tae teethache. Mebbe that wis fit made her say fit she said, mebbe it wisna. She shook aff her shawl, an pulled Matty ower tae her bosie and grippit him hard tae her briest. She pushed Minnie awa.

'I dinna wint her. Matty's aa the faimly I need, noo. She maun gyang tae her Granny Bruce in the toon, eence aathing's ower wi.'

Mysie Bruce raised her eyebroos at yon, till her sister-in-law explained farrer.

'Her granny his a fine hoose near tae a gweed schule. Siller'll be ticht at Steenhillock. I've naething tae offer her here, naething. It'll be makk dee an mend fur a lang time noo. Gweed-be-here, she can aye come hame wikk-eyns wi the dairy cairt!'

It wis Minnie fa stude in the stirkie's staa noo, nae Matty. It wis as if the sun hid gaed in ahin a cloud, she cudna jist takk in yet foo her life hid cheenged foriver wi her faither's daith. Gin she shook hersel, he wad rise frae yon timmer kist even yet, an catch her up in his airms, an rub her chikks reid wi a beardie. Aunt Mysie tuik Minnie awa ben tae the kitchie an made her a mug o hett tay, an spreid her a scone, wi butter an brummil jeely.

'Upstairs, quinie, an sleep. Yer ma's nae hersel jist noo. Aathing'll seem better in the mornin. Upstairs an steek yer eenies.'

Sae Minnie climmed the stairs, an knelt at the side o her bed as she aye did, an said her prayer, 'Thy Will be dane,' an lay doon wi Betsy in her bosie, worn oot bi aa that hid happened yon day, fur it didna seem real tae the quine that she'd niver see Da again this side o Kingdom Come. An doon in the ben room her uncles spakk lang intae the nicht, aboot fa they wad sikk tae takk a cord an help showder the kist on its journey frae cairt tae kirk, an kirk tae lair, aboot beasts an siller an fit tae pit in the paper, aboot hymns an hairsts an foo he wis better oot o't their brither, ay, gane tae a better place richt eneuch, nae scutter wi cottars an corn far Matthew'd gane. An their twa wives Nan an Mysie gaed throwe tae the kitchie tae plan fit tae ett fur the funeral tea efter the beerial wis by, fur nae wummin body micht staun at the graveside watchin the hinmaist rites, na faith, they war far ower weak tae thole thon, the yird drappt doon on the lid o the lowered kist in the grun. They wad see til't the men wore blaik airmbands, that the kist hid a pucklie wreaths, that there wis drink in the hoose an clean glaisses tae sup it frae. Nan's faimly happit the mirrors an stoppit the clocks fin there wis a Daith in een o their hooses, bit Sally Bruce wad hae nane o yon, faith, gin ye stoppit the clocks fit the sorra wye wad ye ken fin milkin time'd won roon?

Minnie heard nane o this, clean dane wi the day's tribbles. Fur a lang time efter she beddit she sabbit inno her bowster till the sterched cotton wis weet, wi nane tae heed her. If anely Isie hidna flitted tae the toon, the Bruces wad hae sent fur her an her fowk that nicht tae help wi the maitters in haun, an Isie wad hae made it easier tae thole. Bit there wis nae Isie, jist Betsy the clootie dall. Neist mornin fin she waukened, Betsy the dall hid vanished. Tho she hunted the hale hoose fur her, the clootie dall wisna tae be seen.

'A dall? A dall? Is that aa she his tae fash aboot, an her faither lyin deid in his kist, the unnatural wee vratch!' her mither railed.

Bit Matty Bruce gaed a bit smirk, an sidled up ahin his sister, tae fusper in her lug, 'Fin I wis a bairn, I spak as a bairn, I kent as a bairn, I thocht as a bairn; bit fin I becam a man, I pit awa aa bairn ferlies. Yer a big quine noo, sister, ye winna be needin a dallie there in the toon fin Ma packs yer bags. Ye can caa fur yer bittie o cloot till yer blue in the face, fur ye winna fin her. Ye can greet till yer reid in the face, bit naebody'll care. There's nae Da noo tae pett ye, yer jist the same as me noo, nae better, nae waur.'

An Angel's Veesit

Rainy rainy rattlesteens
Dinna rain on me
Rain on Johnny Groat's hoose
Hyne ootower the sea.

Rain. It dreepit frae the slate reefs o Dessloch Place, it sweeled doon the gutters, it turned the cassies near blaik wi the doonpish garrin the snails in the gairdens draa in their twa lums, an the mavis takk shelter aneth the rubbery leaves o a rhododendron buss till it stoppit. Eneuch tae droon an ark. Aa Minnie's smaa possessions hid bin flittit tae Granny Bruce's hame the nicht afore, cairtit in bi Daisy, the horsie that her faither hid gien her afore he dee'd. In a wye it made the flittin easier tae thole, kennin that Daisy hid flittit tae the toon wi her, tae help deliver the milk. Granny hid reassured the quinie a hunner times that eence she wis sattelt in Aiberdeen, an Ma hid mair a grip on her grief an the rinnin o the ferm, she micht ging hame fur the antrin wikkeyn. It wisna a punishment, bein sent tae bide wi her granny, na, na, it wis aa fur her ain gweed, tae gie her a gran education an tae smeeth doon her roch edges, makk mair o a leddy ooto her.

They hid gien Minnie a wee room tae hersel abeen the dairy an cairt shed at the eyn o the street far it jined wi Fitehaa Brae. Neist tae Annie's wee room wis the laft, a glory hole o bits o cairpets an photies an bairntrock an styew. Aa the unwintit things in the hoose fand their wye tae the laft. On the neist fleer doon wis Aunt Florence's room, an on tither side o the stairs wis the music room far she tuik her wee chairges tae larn them their scales an arpeggios. Granny hid already telt Minnie that she wis tae be pit tae Aunt Florence tae learn the pianie, sharin her lessons wi her cousin Isie, ae bricht spot in the itherwise dreich horizon. Isie's fowk hid sattled inno the Glamis Hotel a while back in a lang street near the hairt o the toon on een o its main arteries. Isie hersel gaed tae fee-pyin schule fur dothers o gentlefowk, an her faimly hid great hopes o her makkin a gweed match an merryin weel.

On the neuk o the landin, ower frae the granfaither clock, wis Uncle Dougal's room – bit wi him in Kuala Lumpur it wis hauf turned inno a library, far the Bruces keepit their buiks on lang raws o shelvin ben the waas. On the boddom fleer wis Aunt Jessie's room, neist tae Granny Bruce. Aunt Jessie keepit hoose tae Granny Bruce. The parlour an the kitchie war on the boddom fleer, an the dry lavvie wis oot the back at the eyn o the gairden neist tae the coal shed an the wash hoose. Granny's hoose wis far finer than Minnie's hame on the ferm. Auld Mattha, her man, hid bin chairman tae the Widside pairish cooncil, heid o the schule boord o governors yonner, tae, fin he fermed Widdies afore his laddie Jimmy tuik it ower. His dairy at Dessloch Place retailed tae sax shops in the toon. He'd bin Preses o the Dairyman's Association, a director o the Central Mart, an officer o the United Free Kirk as weel as a husband an faither, his bairns aa grown an aa either fermin or teachin, or ower the braid oceans owerseein the milkin o rubber frae trees in hyne awa Ceylon or Malaya. Auld Mattha hid dee'd sax month afore Minnie's Da, an this bein the Sabbath, as seen as brakkfast wis ower, Granny Bruce as matriarch o the faimly wad order a gig tae takk them ower tae the Machar Kirk far her man wis beeriet, fur the Sabbath service.

As yet, Minnie hidna sterted unpackin, apairt frae her flannel goon the nicht afore. She stude at the windae o her room an glowered up Fitehaa Brae, up tae far her mither Sally hid keepit hoose tae a kinswumman, Dr Annie Ross, een o the first wummin doctors in the toon. On this verra brae, her Ma hid met her Da, at the tail eyn o the dairy cairt fin she'd brocht oot her joog fur him tae full't. Her mither got aa her braw frocks frae the doctor, she wis a great favourite wi her kinswummin, mair o a companion nor a hoosekeeper.

Ower the road wis Addison's shoppie, a grocer's richt on the neuk opposite, wi a gas lamp oot on the street aside it, that the leerie man wakkit roon an lichtit fin gloamin fell, saft an grey like a widda's veil ower her een.

Leerie leerie licht the lamps
Lang legs an crookit shanks.

The newcomer tae the toon sat at the lang keekin glaiss on the press aside her bed, ruggin the cloots ooto her ringlets, listenin tae the rain batter tee til the windae peen, takkin stock o the dreichness o the toon ootside. At hame, at Steenhillock, June wad be bringin the kintra tae early flouer, the hey parks wad be thick an sweet wi simmer girse. In the sheughs, the wild fite rose wad be bloomin, and the lea rigs wad be fillin wi buttercups an sweet pink clover; the dykes wad be brichtened bi yalla broom at their sides an violets at their feet. An deep in the Fir Widdie, harebell an forget-me-nots wad be dauncin, far the rowan stood wi her posies o smaa fite flouers.

Minnie Bruce chaa'd her boddom lip. She wadna greet. She wadna greet. She wad hae tae learn tae like the toon. Granny an the aunts wad be gweed tae her, an Daisy wis here in the stable aneth, aa that wis left tae her noo, o her faither Matthew.

'Minnie, yer brakkfast's on the table,' her Aunt Jessie cried.

Doon she cam in her Sabbath frock, blaik because she wis in mournin fur her Da, an her Granda, tee. Aabody roon the table wis dressed in blaik.

Heid o the table sat Granny Bruce. She wis seeventy-fower year auld, wi a kind, roon face, runkelt, an plain, wi gowd roon glaisses on the eyn o her snoot that gart her luik like a hoolet. Her hair wis pairtit in the middle an pu'd back inno a bun. On her left, sat Aunt Florence. Like Aunt Jessie, Aunt Florence wis in her thirties, tho tae Minnie at thirteen year auld, aa three o them war as auld's the hills o Birse. Baith o the aunts wore gowd roon glaisses like their mither, wi pale blue een like a mavis's eggshells, an hair the colour o dry strae.

Aunt Jessie hid laid the table afore the fire in the parlour, a braw fite lace table cloot wi polished cutlery that reflectit the lowe o the fire wi a dull reid glow. The toast sat in a siller toast rack that hid curly feet. The teapot sat on a siller rack wi curly feet an aa, happit in a worsit teacosy. Minnie sat on a polished mahogany cheer an curled her taes inside her buits, an swung her feet back an fore aneth the table, duntin the table leg wi her heels like a restless shelt.

'Minnie, dearie, dinna dee that, ye're nae on the ferm noo. Ye maun learn tae behave yersel like a young lady an nae like a dray-horse. Whyle yer Auntie Jessie's bringin ben the parritch, we'll jist rin throwe yer catechisms tae see if ye mynd them aa,' quo her Granny Bruce.

'Fit is the chief eyn o Man?'

'Man's chief eyn is tae glorifee God an tae enjoy him foriver.'

'Fit micht the fifth commandment be, Minnie?'

'Honour thy faither an thy mither, that thy days be lang upon the lan that the Lord thy God his gien ye.'

'An fit micht the fourth commandment be, dearie?'

'Mynd tae keep the Sabbath day haly. Sax days shall ye wirk, an dee aa thy wirk, bit the seeventh day is the Sabbath o the Lord thy God. In it ye mauna dee ony wirk, nor thy son, nor thy dother, nor ... granny, fit wye did Aunt Jessie makk the parritch on the Sabbath?'

'Wheesht dearie, an sup yer brakkfaist or we'll be late fur the kirk,' said her Granny, makkin a queer face ahin Minnie's back tae Aunt Florence.

The rain stottit aff the reef o the gig aa the wye ower tae the Machar Kirk, an near drookit the fower o them as they hashed ower its steen flags inno its open doors. Granda Bruce wis beeriet in the neuk, wi an iron railin at his back an a buss o ivy happin the dyke aneth him. Minnie luikit ower tae the neuk, hauf expeckin the auld man tae rise up ooto his clorty hame, bit he didna. It wis the first time she'd worshipped in the Machar Kirk. She'd bin beddit wi the croup fin Granda Bruce dee'd, sae hidna jyned the lave at his service here. Her een opened wider than twa ashets as she tuik her seat at the Bruce pew. It wis naething like the Steenhillock pairish kirk, naething like. Aunt Florence bent ower tae fusper in her neice's lug.

'The first kirk here wis biggit tae convert the Picts. This kirk ye're sittin in's near echt hunner year auld, Minnie. Tak a teet at the reef abeen ye.'

Minnie's een traivelled up an ower the shields o popes an bishops, kings an nobles frae aa the warld's airts.

'Far's the precentor, auntie?'

'They dinna need een here, they've haen an organ these past thirty year. The music comes ooto aa thon pipes.'

Tae the left o their pew, wis the steen statue o a bishop, lyin on his back, an abeen thon, a muckle stained glaiss windae wi an angel on't.

'Fa's the angel, aunt ?' Minnie speired.

'St Matthew, Minnie, the same name as yer da an yer granda an yer brither.'

'An fit story is the picture tellin, aunt?'

'The parable o the talents, an the three servants, Minnie.'

Sae Minnie learned St Matthew's story, o foo the maister traivelled tae a far kintra an left ahin three servants – jist like Da hid left hersel an her ma an Matty ahin. An aa the servants hid talents, an war telt tae makk the maist o them. Bit ae servant beeriet his talent in the grun, an dinna makk eese o't ava, an yon wis a cruel waste an a sin, fur ye sud aye makk the maist o fitiver gift God gies ye, her Aunty said.

Minnie didna think tae speir fit a talent micht be, bit it soundit important fitiver it wis. The meenister's text wis John ch. 1 verse 5:

an the licht shineth in the derk
an the derk cudna comprehen it ava

An yon wis fairly richt, fur maist o the sermon gaed clean ower her heid, bit the Aunts an her Granny likit it, because it wis lang an dreich an dowie an sae it maun hae dane them gweed, fur faiver heard o mixture that didna taste soor? Fur maist o the service the quine sat reeted tae the pew, wytin tae see fit happened fin the music cam ooto the lang steel pipes abeen the organ, fair trickit at the wye the hymns gaed richt tae the rafters garrin the hale kirk birr wi soon. At least the rain wis aff, fur at the eyn o the service, the fower o them wakked ooto the hauf licht o the Machar Kirk tae a sunsheeny day, and turned richt afore the gate, tae pye their respecks tae Granda. Granny Bruce tuik oot a hanky an dabbit her een, an the Aunts patted her shooders.

'Matty's quine Minnie's cam tae bide wi's,' Granny telt the heidsteen. 'An we'll dee fit we can tae makk sure she turns oot like her Da wad hae wintit.'

Fin they won hame again, denner wis cauld meat an breid 'n butter, syne Minnie wis left tae her ain devices while Granny crooshied a cheerback, Aunt Jessie pared tatties in the kitchie, an Aunt Florence timmered oot a wee gavotte on the pianie. At hame, she'd hae bin oot gaitherin the hens' eggs, or chasin the cock roon the midden. Here, there wis naething tae dee an aa the time in the warld tae dee it. Efter a while she speired at Granny if she cud gyang neist door tae the stable tae sit wi Daisy a whyle. She wisna alloued tae ride her, nae in the toon, because neither Daisy nor Minnie war eesed tae the toon an its wyes, an bikes an shelts an even the antrin car cam fleein doon Fitehaa Brae. Forbye, baith Daisy an Minnie war supposed tae be grown up noo.

Minnie'd bin pit tae the toon tae ging tae Rosemill Schule efter the simmer, an Daisy's daft days o rinnin lowse throwe the parks war by wi an aa. She wis tae earn her keep an staun atween the shafts o the twa-wheeled milk float, an trot roon the streets nearhaun the dairy. Derkie wis the aulder horse, an he cud pull the fower wheeler, fur the Bruces hid sax dairy shops in the toon, an the heavy cans frae Widside, Kilbog an Steenhillock maun be ferried roon bi calm, steady beasts that didna spook an shy awa frae the toon's steer.

Minnie gaed intae Daisy's staa fur a news. Daisy hid een like twa blaik meens in puils o cream. She blinkit at her mistress frae aneth her lang, fair lashes. Minnie hid brocht a sup sugar, an a carrot oot frae the hoose neist door, an held them oot fur Daisy tae ett. While the muckle chestnut jaws o the shelt chawed frae side tae side, Minnie began tae straik Daisy's lang, braid snoot, an tae fusper inno the funnel o her hairy lug.

'I dinna like the toon, Daisy,' she fuspered. 'Bit it's a secret, an ye maunna tell naebody. Granny an Aunt Florence an Aunt Jessie are affa kind, bit I miss the Fir Widdie already, tho we've jist bin here a wee whylie. I miss the coos, an I miss the byre, an I miss Benjy, even tho Ma says he's nae my dug at aa, he's Matty's. He likes me better than he likes Matty, Daisy. Mebbe that's fit wye I've tae bide in the toon. An I ken ye dinna like it either, bit we'll jist hae tae thole it, you an me. Because I've tae learn tae behave like a leddy an nae like a dray-horse, an ye maun forget the park at the back o the Leddrach dam, an learn tae pu the cairt fin Alec tells ye.'

The shelt's lugs cockit forrit, takkin aa this in, then she nichered saftly, garrin her muckle nostrils shudder, an hung doon her heid fur Minnie tae scrat her neck. An sae began Minnie Bruce's first simmer in the toon.

Fin a twa-three wikks war by, life hid begun tae sattle inno a kinno uneasy rhythm. At sax o clock ilkie mornin, the cairts wad arrive frae Widside, Kilbog an Steenhillock, loadit wi full milk cans, an Minnie wad rin tae her windae tae watch as Alec an Ned, the Mathieson brithers, loadit up Derkie an Daisy's cairts fur delivery roon the toon. The cans they cairriet hid taps on them, an they likewise cairriet cream an butter an eggs. Alec an Ned hid bin up sin the back o five giein their horse a brush doon an feedin them their brakkfast o hey an oats. Eence the shelties trottit awa, they wadna be back till hauf past nine, an efter thon the twa brithers wad hae tae clean the cans and coont the siller an tcyauve awa at a thoosan ither jobs that needit daein.

Aften, fowk at the big hooses wadna lat the milkmen chap at the front door, they'd tae gyang roon bi the tradesman's entrance at the side o the hoose, far a skiffie wad haud oot her joog. Bit maistly, fowk kent that the milk hid arrived ootbye, fin Derkie or Daisy strukk their iron sheen agin the cassies a twa three times, fur the weemin aroon hid them clean connached an pettit. It wisna unusual fur fowk tae gie the horses a heelie o breid or a veggie tae chaw, an their dung wis ayewis welcome bi fowk wi gairdens, fur bringin on roses or rhubarb.

Meanwhile, Granny Bruce an the Aunts hid knuckelt doon tae the job o ceevilisin Minnie. Aunt Jessie tuik the lassie ben tae the kitchie in the mornin an showed her foo tae clean the cutlery, braisse the ornaments, an polish the windaes wi vinegar till they shone. A washer wife wakked ower frae the tenements three streets awa, an cairtit awa the fool washin, an brocht it back bleached an dry an ironed twice a wikk, sae there wis nae heavy washin tae dae like Meg Ramsay an Minnie's mither trauchelt wi at Steenhillock. Bit then, there wis nae fine bleachin green in the nippit excuse fur a gairden her Granny ained, an nae heich brae far the roch stoot wins cud get a gweed skelp at a towe fu o dryin sheets an wallop them back an fore in the kintra air.

Efter denner, Aunt Florence tuik ower the darg o educatin Minnie. First aff, they sat doon in the room that hid eence bin Uncle Dougal's, fu o ivory jumbos, braisse monkeys, an siclike. Fin it rained in the toon, as aften as nae it did, the quine hid taen a tig o gaun inno this room, tae play wi the braisse monkeys an the ivory jumbos. There war three braisse monkeys, aa stukken thegither. Een hid its hauns clappit ower its lugs in an expression o ootrage aboot something that maun hae misfittit it. It wis caad 'Hear-nae-evil.' The middle monkey's hauns war ower its mou, an it wis caad 'Spikk-nae-evil.' The last een's hauns war clappit ower its een, an it wis caad 'See-nae-evil,' an yon wis the wye that Minnie kent that the monkeys war furreign, fur God saw aathing, thon hid bin dinned intae her since she first drew braith, an ye sudna be daein evil at aa, fur God watched aathing aa the time, there wis nae gettin awa frae thon.

In Uncle Dougal's room, Aunt Florence wad takk doon a buik frae the dizzens that lined the waas, an makk Minnie read frae it, Scott, an Dickens, an Shakespeare an the like, till the preint daunced afore her een an her heid wis reelin wi princes an paupers an reid-wud roarin Heilanmen. Syne they wad flit tae the music room, the cauldest room in the hoose, an fur twa oors her back grew sair as she sat on the bowdie-leggit pianie steel timmerin up the notes. She'd a lot o grun tae makk up, the twa Aunts telt her, afore she'd be onything like as gweed as Isie her cousin, faith she'd hae tae wirk hard tae be fit tae gyang tae a schule in the toon wi ither quines her age.

They aye suppit tea aroon five. Whyles, in the simmer nichts, the Bruces hired Alec an Ned an the horses oot tae help wi a flittin, or ither cairtin jobs, afore stablin them fur the nicht. Gin Minnie'd deen weel at her lessons, she got tae gyang wi them, tae sit on Daisy's back, as lang as she mindit tae sit sidesaddle an nae strideleggit like a loon, an didna makk Daisy canter or ony daft capers. Whyles o an evenin Isie cam roon fur a pianie lesson, bit Minnie wis still ower roch in her spikk fur Isie tae be seen aboot the toon wi her. Isie likit weel eneuch tae use braid Scots inbye the hoose, bit her newfand friens wad hae leuch at her if she'd spukken afore them as she spakk fin she wis wi Minnie. As yet Minnie didna ken foo tae cheenge the wye she spakk, nor did she hae till yet, fur aabody aroon her spakk the same bar mebbe Isie. Even Matty, fa'd bin growin gey gentrifee'd fin he gaed tae the college in toon, hid slippit back tae the auld spikk noo that his dreams war forgotten an his buiks an jotters laid by.

The last wikk in June wis as bonnie a sunny evenin as onybody cud wint, nae a cloud in the lift an the young leaves fullin the trees. A faimly war meevin frae Green Street tae Dunstane Drive, an baith the cairts hid bin hired tae help wi the flit. Alec Mathieson liftit Minnie up on Daisy's back wi a tyauve.

'Lordsake, fit a wecht, ye maun hae steens in yer sheen,' he leuch, fur Minnie wis bloomin, shod in thick leather button-up buits wi heavy skirts an petticoats fur aa that the weather wis warm. Aff they set on the short haul up Fitehaa Brae. A car wis comin doon the wye, at a fair lick fur a charabang, fin the driver's brakes failed. There wis the heich skreich o the wheels as they skytit across the road, an Daisy reared, haivin Minnie affo her back. Alec Mathieson focht wi the reyns, bit the car careered inno the richt flank o the horse, an broke her hin leg wi ae skelp. Daisy gaed doon wi a dunt, an nichered an whinneyed, the brukken been cockin clean throwe the skin, the reyns twisted roon her neck. The cairt wis cowpit in a gairden hedge, an Minnie lay quate on her side, face doon in the glaury road, wi a thin wee treelip o reid rinnin oot frae the crook o her mou.

Ned ran back tae the stable fur Alec's gun, that he whyles shot pheasant wi in Kilrogie wids, on his ae day aff o the wikk, fin he traivelled hame tae the Troot Wallie cottar hoose on Steeny's parks. A kirn o fowk hid witnessed the accident, an war steerin aboot the cairt an the flailin horse like flees. Some weemin war greetin inno their peenies. A wee fite dug wis bowfin an bowfin an rinnin up an doon in excitement. A sweep wi a tarry face set doon his hurly an brushes tae see fit the ootcome wad be.

'Its the Bruce's cairt,' a wummin was sayin, 'an I think it's the Bruce's grandother. I think thon skelp maun hae killt her.'

'Staun back. Bide back,' Ned Mathieson warned them. 'I canna leave the lassie's shelt like thon.'

He tuik cannie aim an fired atween Daisy's een. The horse gied limp like a sack o burst grain. The knacker wad takk her an cut her up fur dog meat. Syne Alec ran doon the brae wi Minnie in his airms an up the three steps tae the Bruce's door like greased lichtnin, liftin the braisse knocker an chappin sae hard he near ruggit it aff o its hinges. Aunt Jessie opened the door, her face drainin o colour, nae a pick o colour in her chikks ava fin she saw her niece like thon, an led Alec up tae the quine's room, tae the left o the laft, abeen the dairy stable.

Cannily, the young chiel laid her doon. Bluid wis

treetlin doon frae ae lug, an fin Jessie liftit a hank o blaik hair, the quinie's heid wis bruised an mattit wi bluid. Minnie's een flichtered open a wee, an o a suddenty, wi nae warnin ava, she cowkit aa doon the side o the bonnie fite linen sheets.

'The room's gaun roon Aunt Jesssie,' quo she, 'the room's gaun roon, and yer face is aa shoogly, I canna makk it oot.'

Efter yon, her heid fell back on the bowster an her een steekit.

Alec Mathieson wis sent fir the doctor fa cam richt aff, a shilpit auld man wi a gammie fit frae the heid o Fitehaa Brae. The doctor socht room tae examine her, lowsin the collar aroon her neck as he did it.

'Wi a knell yon like, an the bluidin, I'd say she's fractured her skull,' he telt Granny Bruce, snippin the catch on his doctor's bag thegither wi a snap. 'Leave her fur twa days tae rest. Gie her a chaunce tae come roon hersel. If she's nae ony better efter thon...' the doctor shook his heid.

Aunt Florence, Aunt Jessie, an Granny tuik it in turns tae sit wi her. In fit queer kintra she wis durin thon time naebody iver kent, bit fur certain it wisna ony wye near Dessloch Place or even Steenhillock Ferm. On the saicunt nicht fin the paraffin lamp wis flichterin low an the shaddas war heich on the waa o her wee attic room, Minnie's een blinkit open a thochtie. Aunt Florence wis sittin in a cheer aside the bed, clean foonert, jist stertin tae nod inno sleep, an open buik on her lap, slidin doon her skirt inno the faulds o her frock. Minnie Bruce hid a veesitor.

He stood at the eyn o her bed, her faither, fur she kent richt aff it wis him, an yet it wisna him as she'd iver kent him afore, fur he wis cled in licht frae heid tae foun, an smilin, raxxin his airms oot tae her, an tall, he wis, sae heich he fullt the room. An if luv cud staun nyakkit an bare o aa bit licht, it fulled thon room that nicht, an enfauldit an bore her up, an smeethed the hair that stukk tae her broo wi swyte, an happt her roon an roon frae tap tae tail, fur ilkie pikk o her body wis precious tae him, like his ainsel.

'Fariver ye gyang, I shall gyang,' quo the chiel in the licht

Fariver ye bide, I shall bide
Thy fowk shall be my fowk
An my God, yours.'

At her faither's back wis a laidder, wis thon nae the queerest thing? A laidder o pure licht, that raxxed frae the fit o her bed up an oot throwe the reef o the hoose, throwe the tap o the sleepin toon, heich, heich, till it reached the starnies that glentit hyne awa at the back o the meen. She fell intae a deep sleep efter yon, an fin it wis by, she wis better. There wis nae mair murnin fur the parks o Steenhillock. The lowe in the hairth o yon place hid bin her faither's luv, an he'd cam back himsel frae the grave tae pledge that she'd aye hae thon, fariver she gaed, ay, in the dreichest cauldest holes o fate itsel.

Bit she niver telt Aunt Jessie, Aunt Florence nor Granny fa stood at the fit o her bed yon nicht, nor yet fit guise he tuik, fur it lay ower deep fur kennin in the mortal wye. She vowed that fin she wis weel eneuch, she wad makk gweed eese o her talents, takkin tent o the teachin o the saint fa shone frae the waa in the Machar Kirk, far the glorious sun poored through the great stained windae, her faither's namesake in the

Warld abeen the warld. Bit bi bit Matthew Bruce hid fashioned a suit o armour fur Minnie that wis her Faith, an noo wis fairly the time tae pit it on. An sae hard an fierce an bricht wis yon armour, foo strang it gart her feel, fur naething ava cud iver pierce thon certainties. Foo fine tae hae a road mapped oot afore ye, a Pilgrim wi a sword fur ilkie dragon!